CB048128

Relatos de um gato viajante

Hiro Arikawa

Relatos de um gato viajante

tradução
Rita Kohl

17ª reimpressão

Grafia atualizada segundo o Acordo Ortográfico da Língua Portuguesa de 1990, que entrou em vigor no Brasil em 2009.

Título original
Tabineko Ripoto

Capa
Estúdio Insólito

Ilustração de capa
Lauro Machado/ Estúdio Insólito

Preparação
Sheila Louzada

Revisão
Valquíria Della Pozza
Nana Rodrigues

Dados Internacionais de Catalogação na Publicação (CIP)
(Câmara Brasileira do Livro, SP, Brasil)

Arikawa, Hiro
Relatos de um gato viajante / Hiro Arikawa; tradução Rita Kohl. — 1ª ed. — Rio de Janeiro: Alfaguara, 2017.

Título original: Tabineko Ripoto.
ISBN 978-85-5652-048-7

1. Ficção japonesa I. Título.

17-05723 CDD-895.63

Índice para catálogo sistemático:
1. Ficção : Literatura japonesa 895.63

EDITORA SCHWARCZ S.A.
Praça Floriano, 19, sala 3001 – Cinelândia
20031-050 – Rio de Janeiro – RJ
Telefone: (21) 3993-7510
www.companhiadasletras.com.br
www.blogdacompanhia.com.br
facebook.com/editora.alfaguara
instagram.com/editora_alfaguara
twitter.com/alfaguara_br

Relatos de um gato viajante

PRÉ-RELATO

O que aconteceu antes da nossa partida

Eu sou um gato. Ainda não tenho nome.

Ouvi falar que certo gato muito famoso aqui no Japão disse isso.*

Não sei o que esse gato aí fez de tão importante, mas sei que ganho dele pelo menos nisso. Nome, eu tenho.

Agora, se eu gosto ou não desse nome, aí já são outros quinhentos. O problema fundamental é que o nome que me deram não é compatível com meu gênero.

Faz uns cinco anos que ganhei esse nome, bem na época em que atingi a maioridade. Falando nisso, parece que há várias teorias sobre a melhor maneira de converter a idade dos gatos em idade de humanos, mas todas concordam que o primeiro ano de vida de um gato equivale mais ou menos aos primeiros vinte anos de um humano.

Naquela época, meu lugar preferido para dormir era o capô de uma van prata, no estacionamento de certo prédio residencial.

Naquela van eu tinha tranquilidade para dormir, sem medo de ser enxotado com um humilhante "Xô! Xô!". O ser humano é uma criatura arrogante demais para quem não passa de um macaco gigante que sabe andar ereto.

Deixam o carro largado, à mercê das intempéries, mas acham um absurdo se um gato sobe nele? Não faz sentido. Até porque, para nós, gatos, todas as coisas deste vasto mundo em que é possível subir são consideradas vias públicas de acesso livre.

E se você se distrai e deixa alguma pegada no capô, então? Eles *surtam*, te botam para correr.

---

* Refere-se à primeira frase de *Eu sou um gato*, de Natsume Soseki, uma das obras literárias mais conhecidas no Japão. (N. T.)

Enfim, eu gostava muito de dormir no capô daquela van. Era o meu primeiro inverno, e o metal quentinho do capô, aquecido pelo sol, era como uma bolsa térmica. Perfeito para uma soneca.

Finalmente, a primavera chegou, completei minha primeira volta pelas estações. Para um gato, é uma grande sorte nascer na primavera. Nós, gatos, costumamos ter duas temporadas reprodutivas ao ano, uma na primavera e outra no outono, porém os filhotes nascidos no outono raramente sobrevivem ao inverno.

Lá estava eu, instalado confortavelmente no capô quentinho, quando senti um olhar intenso sobre mim. Entreabri os olhos para espiar...

Um homem magricelo e alto me observava dormir, sorridente.

— Você dorme sempre aqui?

Durmo. Algum problema?

— Você é muito bonitinho!

Pois é, ouço bastante isso.

— Posso te fazer um carinho?

Opa! Aí já é demais.

Com um movimento da pata, afastei a mão do homem, que fez um bico, chateado. Ué, você também ficaria incomodado se alguém viesse querendo mexer em você no meio do seu sono, não ficaria?

— De graça não vai rolar, é?

Olha só, até que você é esperto. Isso mesmo, vai ter que me recompensar por você ter interrompido meu descanso.

Levantei a cabeça, interessado. O homem revirou a sacola que segurava.

— Não tenho nada muito bom para um gato...

Qualquer coisa serve! Um gato de rua não pode ser muito exigente. Que tal esse petisquinho de vieira, hein? Acho que seria uma boa. Dei uma fungada no pacote que despontava da sacola, e o homem me deu um tapinha na cabeça, rindo sem jeito. Ei, ainda não autorizei você a encostar em mim!

— Esse aqui não pode, faz mal pra saúde. E é apimentado, ainda por cima.

Faz mal pra saúde? Você acha que um gato vadio como eu, que não sabe nem se verá o dia de amanhã, vai se preocupar com esse tipo de coisa? Minha prioridade máxima é encher a barriga aqui e agora.

Por fim, ele pegou um pedaço de frango empanado de um sanduíche, tirou a casquinha frita e me ofereceu a carne na palma da mão. Ih, tá achando que eu vou comer assim, direto da sua mão, é? Pois saiba que eu não caio nesses truques baratos de quem quer vir para cima de mim cheio de intimidades!

... Se bem que não é todo dia que me aparece uma carne assim tão fresquinha e apetitosa. Acho que posso abrir uma exceção.

Enquanto eu mastigava o frango, uns dedos se esgueiraram por baixo do meu queixo até minha orelha. Era a outra mão do homem. Ele deu uma coçadinha atrás da minha orelha, devagar. Às vezes eu permito que as pessoas me façam um cafuné em troca de comida, e aquele sujeito até que sabia o que estava fazendo...

Se me der mais, deixo você coçar embaixo do meu queixo também, viu?

Foi só roçar a cabeça na mão dele. Fácil, fácil.

— Desse jeito vai me sobrar um sanduíche só de repolho!

Ele deu um sorriso contrariado, mas pegou o último pedaço do frango, novamente tirou a parte frita e me ofereceu a carne. Por mim, podia deixar a casquinha... Tanto melhor.

Permiti que o desconhecido me afagasse um bom tempo, em troca da doação recebida, mas já estava chegando a hora de parar. Justo quando eu ia levantar a pata para afastar a mão dele...

— Até mais!

Ele tirou a mão um segundo antes e foi embora, subindo os degraus de entrada do prédio.

Puxa vida, taí um sujeito que sabe a hora certa de parar.

E foi assim que nos conhecemos. Mas ainda levou um tempo até ele me dar meu nome.

Daquele dia em diante, todas as noites eu encontrava debaixo da van prata aquela comida que faz croc-croc. Sempre um punhado, na proporção de uma mão humana, atrás do pneu traseiro. O suficiente para uma refeição de gato.

Era aquele homem que tinha desaparecido dentro do prédio quem me trazia a comida, à noite. Quando ele me encontrava por ali, eu o recompensava deixando que brincasse um pouco comigo, mas, mesmo que eu não estivesse, ele deixava, respeitosamente, sua oferenda.

Às vezes outro gato encontrava a comida antes de mim, ou acontecia de o homem sair para algum lugar, e aí, por mais que eu esperasse, o croc-croc não aparecia. Mesmo assim, passei a ter uma refeição garantida praticamente todos os dias. Só que os humanos são criaturas muito caprichosas, então é melhor nunca depender totalmente deles. Um gato de rua esperto tem seus esquemas e se garante em vários lugares.

E foi assim que começou minha relação com aquele homem — éramos apenas conhecidos, mantendo uma distância segura um do outro. Entretanto, logo quis o destino que essa relação se transformasse completamente.

E esse destino doeu horrores.

Eu estava atravessando a rua, de madrugada, quando o farol de um carro veio em cheio na minha cara. Tentei correr, mas uma buzina gritou nos meus ouvidos. Aí, já era.

Levei um susto com a buzina, o que me fez demorar um segundo a mais para correr. Não fosse por isso, eu teria conseguido escapar fácil, mas a meio passo da calçada o carro me atingiu, com uma força espantosa — BAM!. Depois disso, eu não vi mais nada.

Quando dei por mim, estava caído no meio dos arbustos da calçada. Meu corpo doía de um jeito que eu nunca tinha sentido na vida. Ah, mas eu estava vivo!

Puxa vida, que situação. Tentei ficar em pé... só para despencar, com um grito. Ai, ai, ai, que dor!

Era a minha pata traseira direita que doía absurdamente.

Voltei a me deitar, sem forças, e lá fui eu lamber a ferida. Ah, não! Tinha um osso espetado.

E agora? O que eu faço? Alguém me ajude!!

Onde já se viu, um gato de rua pedir socorro? Não temos ninguém para nos acudir... Mas naquela hora eu me lembrei do homem, o que me dava a comida croc-croc toda noite.

Talvez ele me socorresse. Não sei por que pensei isso, afinal, era só um conhecido que às vezes me levava uns agrados, e de vez em quando eu permitia um cafuné em troca.

Saí andando, arrastando a pata com o osso aparecendo. A cada vez que ela raspava pelo chão, eu sentia a dor vibrar por todo o meu esqueleto. Ao longo do caminho, várias vezes perdi as forças e caí. Não dá, desisto, não consigo dar nem mais um passo.

Não era uma grande distância até o prédio, mas o céu já estava clareando quando alcancei a van prata.

Não dá, desisto, não consigo dar nem mais um passo... Dessa vez, era verdade.

Então, gritei o mais alto que consegui.

Aaaaaaaaiiiiii!!!

Gritei e gritei, sem parar, até minha voz começar a falhar. Nessas horas, juro pra vocês, parece que até os gritos ressoam nos ossos da gente, porque a dor só aumenta.

Quando eu já não conseguia mais gritar, alguém apareceu na entrada do prédio. Olhei para cima: era o homem.

— Sabia que era você!

Ele se aproximou correndo, transtornado.

— O que aconteceu? Foi atropelado?

Odeio admitir, mas foi só eu vacilar um pouco que...

— Está doendo muito? Aposto que sim.

Não faça perguntas idiotas, por favor! Anda logo, me ajuda!

— Você me chamou com um grito tão agoniado que até me acordou! Estava me chamando, não estava?

Estava, chamei até cansar! Você demorou muito, viu?

— Você sabia que podia contar comigo...

Eu ia responder na defensiva, explicar que não tinha alternativa, mas reparei que ele estava fungando.

Eu me machuco e você é que chora?

— Que bom que você se lembrou de mim!

Não choramos como os humanos, mas, não sei por quê... naquela hora, acho que entendi o que é chorar.

Quando pensei que fosse meu fim, eu me lembrei de você. Pensei que, se você viesse, daria um jeito de me salvar.

Você vai me ajudar, né? Está doendo tanto! Não aguento mais. Dói tanto que estou com medo. O que vai ser de mim?

— Não se preocupe, agora vai ficar tudo bem.

Ele me acomodou em uma caixa de papelão forrada com uma toalha macia e me colocou dentro da van prata.

Fomos a um hospital veterinário. Vou poupá-los dos detalhes do que me aconteceu naquele lugar terrível, fonte eterna dos meus suplícios. Na primeira visita ao veterinário, qualquer animal aprende que nunca mais quer voltar ali, então não tenho por que me alongar no relato dessa experiência.

Depois disso, fiquei hospedado na casa do homem até minha pata sarar. Ele morava sozinho, e o apartamento até que era bem razoável. Ele instalou um banheiro para mim em um canto ao lado do boxe e colocou na cozinha as vasilhas para comida e água.

Pode não parecer, mas sou um gato muito inteligente e de boas maneiras. Aprendi num instante a usar o banheiro e nunca fiz sujeira no apartamento dele. Eu nem afiava as unhas nos lugares que o homem não permitiu. Vi que ele não gostava que eu afiasse nas paredes e nas colunas, então eu usava só os móveis e o tapete. Esses, ele nunca disse diretamente que eram proibidos. (Tudo bem, no começo ele me olhava feio, mas sou um gato muito perspicaz, percebo direitinho se algo é totalmente proibido ou não. Os móveis e os tapetes não eram *totalmente* proibidos.)

Acho que demorou uns dois meses para meu osso sarar e tirarem os pontos. Nesse tempo, eu aprendi o nome do homem. Era Satoru Miyawaki.

Satoru me chamava como lhe desse na telha: "você", "gato", "senhor gato", e por aí vai. Natural, já que eu não tinha nome.

E mesmo que eu tivesse um nome, não teria como contar a Satoru, já que ele não fala minha língua. Esse negócio de os humanos falarem só a própria língua é muito inconveniente. Não sei se os senhores estão cientes, mas nesse aspecto os animais são muito mais poliglotas.

Sempre que eu pedia para sair um pouco do apartamento, Satoru fazia o mesmo discurso, com uma expressão tensa:

— Se você sair, talvez não volte mais, não é? Espere só mais um pouco, até sua pata sarar de vez. Senão, vai acabar passando o resto da vida com esses pontos.

Eu não entendia muito bem qual era o problema de ter os tais pontos, pois já conseguia andar normalmente, era só ignorar umas pontadinhas de dor, mas Satoru ficava muito aflito, então aguentei firme e fiquei dois meses sem passear. Além do mais, se eu arranjasse briga com algum rival, manco daquele jeito, não seria legal.

Finalmente, o ferimento cicatrizou por completo.

Fui até a porta, onde sempre era barrado por aquela expressão aflita, e exigi sair. Muito obrigado por tudo, serei eternamente grato por sua dedicação.

A partir de agora vou abrir uma exceção, só para você: pode brincar comigo sempre que me encontrar em cima daquela van, mesmo que não me dê nenhum presente.

Dessa vez, a expressão de Satoru não era de preocupação, mas de tristeza. Era aquela cara de "não é *totalmente* proibido, mas...".

— Você realmente gosta mais do mundo lá fora?

Ei, ei, não faz essa cara de choro. Desse jeito eu me sinto mal de ir embora!

— Eu estava pensando se você não queria ser o gato aqui de casa...

Para falar a verdade, isso nunca me ocorreu. Sabe, é que eu sou um verdadeiro gato de rua, então a ideia de virar um bichinho de estimação nem me passou pela cabeça.

Meu plano era ficar aqui só até me recuperar. Mentira, não era bem isso. Eu achava que *teria* que ir embora.

E aí, se era para ir embora de qualquer jeito, melhor ir logo, com elegância, do que esperar me expulsarem. Temos classe, sabe?

Por que não avisou logo que eu podia morar aqui de vez?

Satoru abriu a porta, relutante, e eu me esgueirei para fora. Então parei, me voltei para ele e miei: Vem!

E Satoru entendeu. Para um humano, ele até que tinha jeito com a língua dos gatos. Hesitou um pouco, mas acabou me acompanhando.

Era uma noite clara de luar. O bairro estava em silêncio total.

Pulei para o capô da van prata, encantado em ter minha agilidade recobrada. Depois saltei de volta para o chão e rolei pra lá e pra cá, até cansar.

Quando um carro passou perto, meu rabo se arrepiou todo. O pavor que senti ao ser lançado pelos ares, a ponto de quebrar um osso, devia ter ficado gravado no meu corpo. Sem perceber, me escondi atrás de Satoru, que ria baixinho, me olhando com ternura.

Demos uma volta pela vizinhança e voltamos para o prédio dele. Parei diante da porta do primeiro apartamento do segundo andar e miei. Abre!

Levantei a cabeça para Satoru, que sorria com os olhos marejados.

— Você voltou, foi?

Aham, voltei. Então abre logo essa porta.

— Vai morar aqui?

Vou. Mas vamos sair para dar uma volta de vez em quando, tá?

E foi assim que eu me tornei o gato do Satoru.

— Quando eu era criança, tinha um gato igualzinho a você!

Satoru pegou um álbum de fotos do armário e me mostrou.

— Olha só.

Era o álbum inteiro só de fotos do mesmo gato. Ah, já saquei tudo! Os humanos que fazem esse tipo de coisa são os tais "gateiros".

O gato das fotos realmente se parecia comigo. Tinha o pelo quase todo branco, com exceção de duas manchinhas marrons na testa e o rabo preto e torto. A única diferença era que o rabo dele virava para o outro lado. Até as manchas no rosto eram idênticas.

— Ele se chamava Hachi, "oito", por causa dessas manchas inclinadas na testa, que parecem o ideograma do número.

Nossa, mas que falta de criatividade! Oito, Hachi, como no ideograma 八! Comecei a ficar preocupado com o nome que ele pretendia me dar.

E se ele me chamar de "nove"? Eu seria "Kyu"?

— Que tal Nana, de "sete"?

Opa, uma subtração? Por essa eu não esperava.

— É que seu rabo faz uma curva para o lado oposto do rabo do Hachi, e olhando de cima parece o número 7!

Ah, então a coisa tinha a ver com meu rabo...

Ei, espera aí. Nana não é nome de menina? Eu sou um macho autêntico, viu? Como é que fica isso?

— É um bom nome, hein, Nana? Sete é o número da sorte!

Miei bem alto — Ei, me ouve! —, mas Satoru só afagou meu queixo, sorrindo satisfeito.

— Achou legal também?

Não! Mas... poxa, perguntar enquanto me faz carinho é sacanagem.

Foi só eu me distrair e dar uma ronronadinha que Satoru se animou:

— Que bom que você gostou!

Nããão, eu odiei!

Acabei nunca tendo a oportunidade de esclarecer o mal-entendido (o cara não parava com os cafunés!), então esse ficou sendo meu nome.

— Vamos precisar nos mudar ...

Naquele prédio eram proibidos animais de estimação, Satoru tinha negociado para eu poder ficar só até minha pata sarar. Fomos morar em um apartamento no mesmo bairro. Mudar de casa por causa de um gato... Sei que eu, por razões óbvias, não deveria dizer isto, mas só um gateiro de carteirinha para fazer uma coisa dessas.

E assim começou nossa vida juntos. Satoru não deixava nada a desejar como *roommate* de gato, e eu não deixava nada a desejar como *roommate* de humano.

A gente realmente se entendeu muito bem, durante aqueles cinco anos.

*

Eu já era um gato adulto e Satoru passava dos trinta anos quando partimos.

— Nana, me perdoe.

Satoru afagou minha cabeça. Tudo bem, tudo bem, não se preocupe.

— Me perdoe por ter que fazer isso.

Não precisa dizer mais nada. Sou um gato muito sagaz, já entendi tudo.

— Eu não queria ter que me desfazer de você, nunca.

Não tem jeito, a vida nem sempre corre como a gente deseja. Pelo menos eu tenho sete delas.

Se eu não puder mais viver com você, volto à situação em que eu estava cinco anos atrás, só isso. É como se, naquele incidente em que quebrei a perna, eu tivesse só esperado sarar e ido embora. Pronto. Tive um pequeno hiato, mas amanhã mesmo posso voltar a ser um gato de rua.

Não perdi nada. Só ganhei: o nome Nana e os cinco anos que passamos juntos.

Então não faz essa cara, vai.

Um bom gato aceita, sem drama, tudo o que o destino lhe reserva.

A única vez que não consegui fazer isso foi quando quebrei a pata e gritei por socorro.

— Bom, então vamos indo?

Satoru abriu a portinhola da caixa de transporte e eu entrei, obediente. Durante os anos que vivi com Satoru, sempre fui muito obediente. Nunca fiz escândalo ou me recusei a entrar na caixa, nem quando ele ia me levar ao veterinário, aquele inferno na terra.

O.k., vamos lá. Eu, que não deixei nada a desejar como *roommate*, certamente não deixarei nada a desejar como companheiro de viagem.

Satoru entrou na van prata, carregando minha caixa.

RELATO 1
Kosuke Sawada

"Há quanto tempo!"

O e-mail começava assim.

O remetente era Satoru Miyawaki, um amigo de infância que tinha se mudado para longe quando ainda eram pequenos. Ele se mudou várias outras vezes, mas os dois sempre mantiveram contato, e assim a amizade perdurava, mesmo agora, com mais de trinta anos. Podiam passar anos sem se ver, mas quando se encontravam a conversa fluía como se tivessem se visto no dia anterior. Satoru era desse tipo de amigo.

"Desculpa pedir assim em cima da hora, mas será que você podia adotar meu gato?"

Segundo a mensagem, aquele gato era seu xodó, mas, por questões incontornáveis, Satoru não ia poder ficar com ele e estava procurando alguém que o adotasse.

Não havia explicação sobre os tais motivos incontornáveis. "Se você achar que pode ficar com ele", continuava o texto do e-mail, "levo-o aí para apresentar vocês dois."

Vinham duas fotos anexadas, de um gato branco com duas manchinhas escuras na cabeça. Kosuke soltou uma exclamação de espanto.

— É igualzinho ao Hachi!

O gato da foto era muito parecido com aquele que tinham resgatado.

Kosuke desceu até a segunda foto: um close do rabo torto em forma de 7. Ele se lembrou de ter ouvido em algum lugar que gatos com rabo torto dão sorte.

Quem foi que disse isso? Refletiu por um instante, para logo em seguida deixar escapar um suspiro. A esposa. A esposa, que fora embora para a casa dos pais e que ele não sabia quando voltaria de lá.

A cada dia ele estava mais convencido de que ela nunca voltaria.

Kosuke se perguntou, em vão, se teria sido diferente se os dois tivessem um gato assim, de rabo torto.

Com um gato daqueles zanzando pela casa, recolhendo com o gancho do rabo as pequenas felicidades do dia a dia, quem sabe eles não conseguissem levar uma vida alegre, mesmo sem filhos?

Talvez eu possa ficar com ele, pensou. O gato era bonitinho, parecia Hachi, de rabo torto. Além do mais, seria bom ver Satoru.

Kosuke enviou uma mensagem à esposa, contando que um amigo tinha lhe pedido que adotasse seu gato e perguntando o que ela achava. A resposta: "Faça como quiser". Considerando que até então todas as mensagens dele tinham sido sumariamente ignoradas, a grosseria até que era um bom sinal.

A esposa adorava gatos. Se ele adotasse o de Satoru, talvez conseguisse atraí-la com um convite para vir conhecê-lo. Se chorasse as pitangas dizendo que não sabia cuidar direito do novo bichano, era capaz até que ela voltasse, não por ele, mas por compaixão ao animalzinho.

Ih, mas meu pai não gosta de gatos...

Ao perceber que estava se preocupando com o humor do pai, Kosuke deu um resmungo de irritação.

É por causa desse tipo de coisa que nem minha esposa me quer. Agora o dono do estúdio sou eu. Não tenho que ficar esquentando a cabeça com o que meu pai acha ou deixa de achar.

A revolta contra o pai brotou em seu peito enquanto ele pensava isso. Incitado pelo sentimento, Kosuke Sawada respondeu que sim, podia ficar com o gato do amigo.

Satoru Miyawaki veio visitá-lo já na semana seguinte, no dia em que o estúdio não abria. Chegou em uma van prata, trazendo consigo seu tão adorado gato.

Ao ouvir o ruído do motor, Kosuke saiu à rua e viu Satoru entrando com a van no estacionamento do estúdio.

— Kosuke! Há quanto tempo! — Satoru largou o volante e ficou acenando pela janela aberta.

— Estacione logo de uma vez! — apressou Kosuke, sorrindo.

Fazia uns três anos que não se viam, mas Satoru continuava bem-humorado como sempre. Não mudara nada desde os tempos de criança.

— Você podia ter parado na primeira vaga. Nessa aí é ruim de manobrar.

Havia três vagas diante do estúdio, e Satoru estava estacionando na mais próxima da entrada. Ali, plantas e objetos ficavam no caminho, então os clientes geralmente preferiam as outras. O carro dos moradores ficava nos fundos da casa, em uma vaga não asfaltada.

— É que aí vai atrapalhar se chegar algum cliente...

— Hoje não abrimos, esqueceu?

Naquele estúdio fotográfico, que Kosuke herdara do pai, a folga semanal era às quartas-feiras. Kosuke havia proposto se encontrarem em um sábado ou domingo, pois Satoru trabalhava em uma empresa privada, mas ele fez questão de vir no dia de folga de Kosuke. Disse que já estava pedindo um favor e não queria dar mais trabalho.

— Ah, é verdade! — disse Satoru, descendo da van e pegando a caixa de transporte no banco de trás.

— Nana está aí dentro?

— Está! Você viu as fotos? Ele se chama Nana por causa do rabo em forma de 7. Mandei bem nesse nome, hein?

— Não sei se eu diria que "mandou bem"... Você tem esse gosto por nomes literais, desde Hachi.

Kosuke o convidou a entrar e quis ver como era Nana, mas o gato não queria sair da caixa por nada. Só chiava lá dentro, mal-humorado. Espiando o interior da caixa, Kosuke viu apenas o traseiro branco e o rabo preto e torto.

— Ué, o que foi que deu em você, Nana? Naaana? — Agoniado, Satoru tentou por algum tempo convencer o gato a sair, mas não adiantou. — Desculpa, ele deve estar nervoso em uma casa desconhecida... Daqui a pouco se acalma.

Os dois resolveram deixar a caixa ali, com a portinhola aberta, enquanto colocavam o papo em dia.

— O que quer beber? Um chá ou café, já que está dirigindo?

— Pode ser um café.

Kosuke serviu duas xícaras. Satoru pegou a sua e perguntou, casualmente:

— E sua esposa?

Por um segundo, Kosuke pensou em disfarçar, mas nenhuma desculpa lhe veio à mente.

— Voltou pra a casa dos pais.

— Ah…

Satoru ficou com a expressão culpada de quem não queria ter cutucado uma ferida.

— Mas então… Tudo bem você decidir sozinho sobre Nana? Ela não vai achar ruim quando voltar?

— Pelo contrário, é capaz de ela voltar só por causa do gato, se eu ficar com ele.

— Hum, mas cada um tem suas preferências, em se tratando de gatos…

— Eu encaminhei as fotos que você me mandou, e ela respondeu assim: "Faça como quiser".

— Isso quer dizer que ela gostou?

— Essa foi a única vez que ela me respondeu desde que foi embora.

Kosuke tinha dito em tom de brincadeira que era capaz que sua esposa voltasse por causa do gato, mas na verdade estava mesmo contando com isso.

— Se ela voltar, sei que não vai expulsar o gato. Ela nunca faria isso. E se ela não voltar, eu crio Nana sozinho. De um jeito ou de outro, não tem problema.

Satoru pareceu se conformar com a resposta. Agora era a vez de Kosuke fazer perguntas.

— Mas, deixando isso de lado, me diga: por que você não pode mais ficar com ele?

— Ah, bom… — Satoru deu um sorriso atrapalhado e coçou a cabeça. — É que aconteceram umas coisas, e não vai dar mais.

De repente, Kosuke entendeu. Bem que ele tinha achado estranho ao saber que Satoru viria visitá-lo no meio da semana.

— Demitiram você?

— É, bem... A questão é que não vou mais poder ficar com Nana.

A resposta foi ambígua, mas Kosuke não quis pressioná-lo.

— Enfim, aí preciso arranjar uma casa pra ele, então resolvi pedir aos amigos mais próximos.

— Entendi... Que chato!

A vontade de ficar com o gato aumentou. Era uma boa ação, além de justo para Satoru.

— E você, como está? Digo... vai se sair bem disso?

— Vou sim, obrigado. Se eu conseguir resolver as coisas para Nana, vai ficar tudo bem.

Pelo jeito, era melhor parar por ali. Não parecia ser o caso de insistir e perguntar se ele precisava de alguma coisa.

— Nossa, mas eu levei um susto quando vi as fotos! Ele é igualzinho ao Hachi!

— Ao vivo parece mais ainda... — disse Satoru, espiando a caixa às suas costas. Nana não dava sinal de que ia sair de lá. — Também levei um susto quando o vi pela primeira vez! Por um instante, achei que fosse Hachi.

O jeito como ele falou, com uma risada de quem diz "é claro que não podia ser ele", doeu um pouco em Kosuke.

— No fim, o que aconteceu com Hachi?

— Ele morreu quando eu estava no colégio. Meu tio que o criava me avisou, disse que foi no trânsito.

Devia ter sido uma notícia bem dolorosa para Satoru. Onde será que ele estava quando soube?

— Você podia ter me contado...

Como um amigo que conhecia Hachi, Kosuke poderia pelo menos ter acompanhado Satoru em seu luto. Devia ter chorado sozinho, pensando no gato.

— Desculpa, eu fiquei tão triste que não consegui pensar em mais nada...

— Não precisa pedir desculpas por isso, poxa! — Kosuke ameaçou empurrar o amigo, que se esquivou brincando.

— O tempo passa muito rápido, não acha? Parece que foi ontem que a gente encontrou Hachi na rua! Você lembra?

Se eu lembro?

— Como é que eu ia esquecer uma coisa dessas? — perguntou Kosuke, sorrindo.

Satoru também sorriu, meio envergonhado.

*

Perto do estúdio fotográfico Sawada, subindo uma ladeira suave, chegava-se a uma área residencial. Ali, em uma região proclamada trinta anos antes como a epítome do desenvolvimento, enfileiravam--se casas padronizadas e modernos prédios residenciais.

A família de Satoru morava naquele bairro, em um condomínio modesto. Eram apenas Satoru e os pais.

Kosuke conheceu Satoru na escola de natação, quando estava no segundo ano do ensino fundamental. Desde pequeno, Kosuke tinha tendência a dermatite atópica, e a mãe o matriculou na natação porque acreditava na teoria de que esse esporte torna a pele mais resistente. Já Satoru tinha outros motivos. Foi o professor da escola quem sugeriu que ele fizesse aulas de natação e aprendesse a sério o esporte, pois parecia ter nadadeiras nas mãos, de tão rápido que era na água.

Muito brincalhão, Satoru passava os intervalos das aulas fazendo gracinhas — rondava o fundo da piscina grudado ao chão como uma salamandra, assustava os outros alunos agarrando seus pés por baixo da água. Os professores brigavam com ele e o chamavam de Kappa, a criatura do folclore japonês que vive nos rios e prega peças nos humanos, e esse logo se tornou seu apelido. Dependendo do humor do professor, às vezes também era chamado de "Nadadeiras".

Quando a aula começava, Satoru se juntava à turma do curso avançado, a dos que nadavam bem, e Kosuke ficava na turma normal, cheia de crianças com alergias.

Mesmo com os apelidos de Kappa ou Nadadeiras, era impressionante ver Satoru atravessando a piscina a grandes braçadas. Nessas horas, apesar de ser seu amigo, Kosuke sentia uma pontinha de raiva. *Bem que eu podia nadar como Satoru.*

Mas logo mudou de ideia ao vê-lo pular na piscina fazendo palhaçadas e dar com a testa no piso.

Talvez, no dia que encontraram Hachi, o pêndulo estivesse pendendo um pouco mais para a inveja...

Era um dia no começo do verão, e eles já praticavam natação havia dois anos.

Kosuke foi o primeiro a chegar ao pé da ladeira da área residencial, onde se encontravam para irem juntos ao treino. Por conta disso, foi ele quem viu primeiro a caixa.

No chão, embaixo de uma placa grande com o mapa do bairro, estava largada uma caixa de papelão. E a caixa miava baixinho. Ele entreabriu a tampa, temeroso, e encontrou duas bolas de pelo branco macio, decoradas aqui e ali por manchas marrons e pretas.

Ele observou os animais em silêncio. Eram criaturas tão indefesas e delicadas! Tão pequenas que dava até medo de tocar ...

— Nossa! Gatos! — A voz de Satoru ressoou acima da cabeça dele. — De onde veio isso?

Ele se agachou ao lado de Kosuke.

— A caixa estava largada aqui.

— Ah, que bonitinhos!

Os dois passaram algum tempo acariciando timidamente as bolinhas de pelo com as pontas dos dedos, até que Satoru propôs:

— Vamos pegar eles?

Kosuke hesitou por um momento, lembrando-se das advertências severas da mãe, que sempre dissera que ele não podia mexer em animais por causa da dermatite, mas, se Satoru pegasse um no colo, Kosuke não ia aguentar ficar só olhando. Além do mais, ele é que tinha encontrado a caixa.

Apanhou um dos filhotes com cuidado, com as duas mãos. Ele era tão leve!

Os meninos queriam continuar brincando com os gatos por horas, mas iam se atrasar para a natação. "Acho que a gente tem que ir", "Já está tarde", "Vamos logo!". Incentivando um ao outro, conseguiram afinal se afastar da caixa.

Combinaram de voltar por ali para ver os gatos de novo e dispararam pela rua até a escola de natação.

Quando chegaram, esbaforidos, o treino já tinha começado. Os dois levaram uma bronca do professor.

Assim que a aula acabou, eles dispararam de volta, rumo ao pé da ladeira.

A caixa continuava ali, embaixo do mapa, mas agora tinha só um gatinho. Pelo visto, alguém tinha levado o outro. Naquele momento, os dois meninos sentiram que o destino do filhote que restara estava nas mãos deles. Era o que tinha duas manchinhas na testa e o rabo torto.

Eles se sentaram no chão ao lado da caixa e ficaram vendo o gatinho dormir calmamente, todo enrolado. Que criança não ia querer levar para casa um bichinho fofo como aquele? Era óbvio que os dois estavam calculando, a toda velocidade, o que aconteceria se o levassem.

Como seria lá em casa? Mamãe não aceitaria, por causa da dermatite... E papai também não gosta muito de animais.

Enquanto Kosuke refletia sobre as várias questões que enfrentaria em casa, Satoru foi logo dizendo:

— Vou pedir pra minha mãe!

— Ei, assim não vale!

No protesto que Kosuke deixou escapar havia um pequeno rancor que ele guardava fazia algumas semanas, quando ele ouvira uma menina da natação de quem gostava comentando, enquanto via Satoru nadar: "Puxa, ele é o máximo!". (Pensando sobre isso agora, ela provavelmente queria dizer apenas "Para alguém tonto como o Kappa, até que ele manda bem", então talvez não fosse um elogio digno de inveja...)

Satoru nadava bem, não tinha dermatite e com certeza poderia ficar com o gato se o levasse para casa, porque tinha pais legais. *Além de ganhar elogio da menina de que eu gosto, ainda vai ter esse gatinho? Não é justo!*

O protesto do amigo atingiu Satoru como uma bofetada. Kosuke se arrependeu assim que viu a expressão perplexa dele.

Sabia perfeitamente que estava só descontando sua frustração no amigo.

— É que... fui eu que vi primeiro...

Essa foi a única desculpa esfarrapada que conseguiu produzir, mas bastou para fazer Satoru se desculpar sinceramente.

— Verdade, você encontrou primeiro, então o gato é seu.

Kosuke só pôde concordar com a cabeça, sentindo-se patético por descontar sua raiva no amigo. Depois de uma despedida meio desconfortável, ele levou a caixa para casa.

Ao contrário do que ele imaginara, a mãe não se opôs à ideia.

— Você não tem tido mais dermatite, talvez por causa da natação. Se cuidarmos para a casa ficar bem limpa, acho que não tem problema. Além do mais, quando fomos para a casa do seu tio no outro dia, você não teve problemas com o gato dele...

Pensando bem, ultimamente ela não dava mais tantos sermões sobre a dermatite. Também fazia tempo que não iam ao médico.

No fim, o verdadeiro obstáculo foi o pai.

— Ficou maluco? De jeito nenhum!

E fim de conversa. Não havia chance de argumentar.

— O que você vai fazer se ele sair afiando as unhas pela casa? E saiba que criar um gato não é de graça não, viu? Você acha que eu dou duro o dia inteiro lá no estúdio pra comprar comida pra bicho?

A mãe tentou interceder a favor do menino, mas, aparentemente, isso só aumentou a irritação do pai. Cada vez mais obstinado, ele enxotou Kosuke de casa, mandando-o devolver a caixa ao lugar onde a tinha encontrado, e que fizesse isso antes do jantar.

Kosuke foi choramingando até o pé da ladeira, abraçado à caixa com o gatinho. Chegou até a placa com o mapa, mas como poderia largar a caixa lá? Em vez disso, seguiu até a casa de Satoru, mesmo se sentindo ainda um pouco desconfortável por terem se despedido em um clima desagradável.

— Papai não me deixou ficar com o gato.

Quando Satoru atendeu à porta, isso foi tudo o que Kosuke conseguiu dizer, em meio aos soluços. O amigo ficou muito sério.

— Deixa comigo, eu tenho um plano! — declarou, e correu de volta para dentro de casa.

Kosuke achou que Satoru fosse pedir à mãe para ficar com o gato, mas, quando reapareceu à porta, o amigo trazia a tiracolo a bolsa de náilon que levava para a natação.

— Satoru, aonde é que você vai com esse negócio? — gritou a mãe, lá de dentro. — Assim que seu pai chegar, já vamos jantar!

— Podem ir comendo! — respondeu o menino, já calçando os sapatos. — Eu e Ko-chan vamos dar uma fugida rapidinho.

— Como é que é? Espere aí, Satoru, o que você disse?

Era a primeira vez que Kosuke ouvia a tia, sempre tão delicada e elegante, falar daquele jeito. Mas ela estava fritando alguma coisa na cozinha, então não podia sair. Só conseguiu espiar pelas portas e exclamar, aflita:

— Ko-chan, que história é essa?

Não adiantava perguntar, pois Kosuke também não estava entendendo nada. Tinha ficado tão surpreso quanto ela.

Satoru o chamou, dizendo para irem logo, e os dois se afastaram.

— É que eu li um livro na escola esses dias sobre um menino que encontra um cachorrinho na rua, mas aí o pai briga com ele e manda devolver o cachorro onde o encontrou, mas ele não tem coragem de abandonar o cachorro lá e acaba fugindo de casa, aí o pai encontra o filho de madrugada, perdoa ele e diz que o menino pode ficar com o cachorro se cuidar direitinho dele! — Satoru narrava com entusiasmo o enredo do livro. — É igualzinho ao seu caso, então vai funcionar, com certeza! Só mudou de cachorro para gato! Além do mais, eu vou te ajudar.

Mesmo deixando de lado a diferença entre cachorro e gato, acho que essa parte de você estar me ajudando já mudou bastante a história, pensou Kosuke. Ainda assim, o argumento fez a esperança dele renascer. Talvez o pai se compadecesse ao vê-lo disposto até mesmo a fugir de casa.

Assim, decidiram tentar. O primeiro passo foi comprar ração na loja de conveniência. Pediram a um jovem funcionário de cabelo vermelho algo próprio para filhotes, e o rapaz indicou uma lata de comida pastosa, dizendo que devia servir. Apesar de mal-encarado, até que era um cara legal.

Depois disso, foram jantar em uma pracinha. Para os dois meninos, Satoru tinha trazido de casa uns pães e salgadinhos. Para o gato, a comida enlatada.

— O livro dizia "de madrugada", então acho que a gente vai ter que aguentar pelo menos até meia-noite...

Prevenido, Satoru tirou da bolsa de náilon um despertador.

— Mas se a gente ficar na rua até uma hora dessas, meu pai vai ter um troço…

O pai de Kosuke agia de modo gentil com os conhecidos, mas em casa era um homem teimoso, de pavio curto e dado a acessos de raiva.

— Como assim? Temos que fazer isso, pelo gato! Sem contar que no fim da história o pai perdoa tudo, então não tem problema.

Só que esse pai que perdoa tudo é o do livro, queria dizer Kosuke, mas era difícil discutir diante do fervor do amigo. *Será que vai dar certo? Meu pai é bem diferente desse aí.*

Enquanto brincavam com o gato para matar o tempo, volta e meia alguma senhora da vizinhança caminhava ou passeava com o cachorro e os repreendia:

— Minha nossa, o que estão fazendo fora de casa uma hora dessas? Seus pais devem estar preocupados!

E assim eles viram que já tinham começado errado, pois eram conhecidos no local.

Kosuke começou a ficar aflito, mas Satoru não parecia ver problema algum.

— Não se preocupe, estamos só fugindo de casa — respondia aos adultos que passavam.

— Ora essa, fugindo? Voltem logo para casa!

Não é assim que funciona essa história de fugir de casa! Kosuke não sabia bem qual era o jeito certo de fugir, mas tinha certeza de que não era aquele.

Quando a quinta senhora fez o mesmo comentário, finalmente Kosuke manifestou suas dúvidas:

— Estou achando que não é bem assim que se foge de casa…

— Não? No livro, o filho está na praça quando o pai o encontra.

— Entendi, mas estou achando que isso não faz muito sentido.

Se eu fugir de casa, talvez meu pai tenha pena, e se ele tiver pena, talvez me deixe ficar com o gato… Mas, pelo andar da carruagem, eles não estavam se aproximando desse final feliz. Kosuke refletia sobre isso quando escutou um grito:

— Satoru!

Era a mãe do amigo, vindo na sua direção.

— Já está tarde, deixe de bobagem e volte logo para casa! Os pais do Ko-chan também devem estar preocupados!

Satoru ficou surpreso.

— Não era pra encontrarem a gente tão cedo!

— Você achou que não fossem te encontrar?

Aquilo, sim, era uma surpresa. Sem dúvida, todas as pessoas que os viram tinham ido até a casa de Satoru para avisar que ele ainda estava brincando na praça.

— Desculpa, mãe, mas ainda é muito cedo pra pegarem a gente!

Satoru agarrou a caixa de papelão com o gato, gritou "Vamos, Ko-chan!" e saiu correndo. Kosuke não teve alternativa senão ir atrás dele. O plano se afastava cada vez mais do roteiro, mas ainda dava para consertar. Talvez. Quem sabe.

Os dois driblaram a mãe de Satoru e desceram correndo a ladeira. Quando chegaram lá embaixo, um grito ressoou como trovão:

— Seus moleques!

Era o pai de Kosuke. Talvez o plano não tivesse mais salvação. Kosuke estava considerando se era melhor já começar a se desculpar, mas Satoru gritou:

— Inimigo à vista!

É. Agora essa história claramente tinha novidades demais.

— Corre!

O tal roteiro da fuga de casa já estava totalmente perdido. Onde será que aquele novo roteiro ia dar? Kosuke não fazia ideia, então o jeito era seguir o amigo, que corria muito confiante.

Bastou virar uma esquina para que ganhassem vantagem sobre o pai de Kosuke, um homem hipertenso e sedentário. O problema foi que a rua aonde chegaram era plana e aberta, não havia onde se esconder.

— Por aqui, Ko-chan!

Satoru se lançou pela porta da mesma loja de conveniência onde haviam comprado a ração. Lá dentro, alguns clientes liam revistas das prateleiras, em pé no corredor, e o atendente de cabelo vermelho repunha produtos em uma prateleira, com ar cansado.

— Nos dê asilo, por favor! Estamos sendo perseguidos!

O rapaz se voltou com uma expressão desconfiada ao ouvir esse pedido absurdo, proclamado tão grandiosamente.

— Se pegarem a gente, ele vai ser jogado na rua! — insistiram os meninos.

De dentro da caixa de papelão que Satoru estendeu para o vendedor, começaram a soar miados desesperados como uma sirene. Pelo visto, a correria havia assustado o gatinho.

O jovem encarou em silêncio a caixa e em seguida se dirigiu, sem dizer nada, para os fundos da loja. Depois de alguns passos, chamou os meninos com a mão.

Os três passaram pelo estoque e o vendedor os deixou sair pela porta dos fundos.

— Você salvou a gente!

Satoru saiu correndo, com Kosuke ao lado. Já não dava mais para saber quem estava liderando a fuga.

Quando se virou por um instante para baixar a cabeça em agradecimento, Kosuke viu o vendedor, com a mesma cara amarrada, acenando discretamente.

Continuaram a correr pela cidade, mas as pernas de duas crianças não são capazes de ir muito longe.

O destino final foi a escola. A estranha fuga de casa planejada por Satoru chamara a atenção de toda a vizinhança. Então, quando os meninos pularam para o terreno vazio da escola, já havia um bando de adultos em seu encalço.

Todos os alunos sabiam qual era a janela velha que já não fechava direito. Satoru e Kosuke forçaram a tranca e se esgueiraram para dentro do prédio. Os adultos, sem saber como entrar, ainda perambulavam diante da porta. Vendo os vultos pelo canto dos olhos, os meninos correram escada acima, rumo ao último andar.

Chegando ao terraço, largaram no chão a caixa com o gatinho, exaustos.

— Será que ele está bem? Desculpa, sacudimos tanto você!

Nenhum som vinha da caixa. Ao abri-la, encontraram o gatinho encolhido em um canto. Kosuke tocou nele de leve e...

MIAUUU!

O bichano disparou a miar, mais alto do que nunca.

— Shhhh! Fique quietinho!

Os dois tentaram acalmar o bichinho, mas ele não queria saber de nada. Foram ficando cada vez mais aflitos.

— Estou ouvindo o gato! — exclamou algum adulto lá fora.

— Eles estão no telhado! — continuou outro.

Lá embaixo, os adultos começaram a se reunir.

O berro furioso do pai de Kosuke ecoou mais alto que todos os outros:

— Kosuke! Pare logo com essa bobagem! — E, a julgar pelo seu tom de voz, quando Kosuke fosse pego ia levar paulada à beça.

O menino sentiu as lágrimas brotarem e cobrou o amigo:

— Não deu nada certo esse seu plano, seu tonto!

— Espere! Quem sabe ainda acontece uma reviravolta...

— Que nada!

Outra voz soou lá embaixo:

— Satoru! Desce já daí!

Era o pai de Satoru, que também participava da expedição de busca.

Alguém entregou o outro:

— Dá para subir por aquela escada de emergência!

Já dava para ouvir o pai de Kosuke bufando enfurecido enquanto subia pela escada.

— Estamos fritos! — exclamou Kosuke, arrancando os cabelos.

Mas Satoru disparou em direção à grade do terraço e pendurou o corpo para fora, anunciando:

— Não se aproximem! Se vocês subirem, eu me jogo!

Os adultos se agitaram, assustados.

— ... foi o que Ko-chan disse!

O quê? O mais chocado de todos foi o próprio Kosuke.

— Não fale uma coisa dessas, Satoru! — implorou, puxando o amigo pela manga da camisa.

Satoru o encarou sorridente.

— É a grande reviravolta! — alegou.

Não era esse tipo de reviravolta que eu tinha em mente!

Mas pelo menos tinha adiantado para deter o pai.

— Satoru, isso é verdade? — gritou a mãe do amigo.

— Verdade verdadeira! — respondeu Satoru. — Ele já está tirando os sapatos!

Gritos nervosos soaram lá embaixo.

— Ko-chan, fique calmo! — gritou o pai de Satoru.

— Deixa de brincadeira, moleque! — Mesmo de longe, dava para notar que o pai de Kosuke estava espumando de raiva. — Tudo tem limite! Já chego aí pra arrastar você de volta!

— Não faça isso, tio! Ko-chan está muito determinado! Está disposto a deixar este mundo cruel se alguém subir aqui! Ele e o gato fizeram um pacto de morte! — gritou Satoru, tentando conter o homem. Em seguida, virou-se, muito sério, para o amigo: — Ko-chan, será que você pode se debruçar um pouquinho aqui na beirada?

— Tá maluco? Será que você pode parar de brincar com a minha vida, faz favor?

— Ué, mas você não quer ficar com o gato?

— Eu quero, mas...

Será que para ter um gato era preciso arriscar a própria vida? Alguma coisa naquela história estava muito estranha. Com certeza o tal livro que Satoru lera não falava nada sobre pular do telhado abraçado ao cachorro.

— Em vez desse drama todo, você não pode simplesmente pedir para ficar com ele na sua casa?

Como é? Satoru o encarou estupefato.

— Era só eu ter ficado com ele?

— Uma *pessoa normal* teria considerado essa possibilidade, antes de mandar o amigo se suicidar junto com o gato!

— Poxa, então por que você não disse logo? — Satoru abriu um sorriso, debruçou-se sobre a grade e gritou: — Pai! Mãe! Ko-chan quer que a gente fique com o gato lá em casa!

— Tudo bem, tudo bem, a gente fica! Só o convença a desistir dessa loucura!

Mas parecia que, entre os adultos lá no térreo, continuava um burburinho de desentendimento.

*

Satoru, você era uma criança muito burra, hein?

De dentro da caixa onde eu estava escondido, ouvia claramente a conversa entre Satoru e Kosuke. Não é todo dia que a gente ouve recordações de infância tão disparatadas!

— Nós dois levamos tanto cascudo do seu pai que no dia seguinte minha cabeça estava mais cheia de calombos do que uma estátua do Buda!

Então esse gato que causou uma comoção maluca no bairro inteiro era Hachi, meu predecessor.

— Falando nisso, Hachi era um tricolor macho, não era? Ouvi dizer que são muito raros.

É mesmo? Se isso for verdade, eu também sou muito raro! Minha pelagem é igualzinha à dele…

Isso atiçou meu interesse, e estiquei as orelhas para acompanhar a resposta. Mas Satoru riu.

— Pois é… Também já pensei nisso. Até perguntei ao veterinário, mas ele disse que eram bem poucas manchas, não era o suficiente para ser considerado um verdadeiro gato tricolor.

— Ah, é? Verdade, fora a testa e o rabo, ele tinha o corpo todo branco…

Pelas frestas da caixa, vi Kosuke cruzar os braços, desapontado.

— Quando eu soube disso, pensei que, se eu tivesse explicado para meu pai que aquele gato era raro por ser um tricolor macho, talvez ele tivesse mudado de ideia… Mas não tinha jeito, mesmo.

Kosuke espiou dentro da caixa. Virei a cara bem rápido, para ele não ver que eu estava olhando. Não quero que ele comece a achar que somos íntimos.

— E Nana? Tem a cara igualzinha à do Hachi, mas e o resto? Tem manchas suficientes para ser tricolor?

— Não, ele também não é. É sem raça definida, mesmo.

Desculpa aí, por não ter raça! Fechei a cara e fuzilei a nuca de Satoru com o olhar.

— Mas para mim ele é muito mais valioso do que um macho tricolor — continuou Satoru. — Você não acha que é muito mais especial ter um gato igualzinho ao primeiro gato que você teve na vida? Desde a primeira vez que eu vi Nana, soube que um dia ele seria parte da minha vida.

Não pense que vai me ganhar com isso! Sei muito bem que você só quer me bajular!

Se bem que...

Então foi por isso que Satoru chorou aquela vez, quando fui atropelado e me arrastei até a casa dele. Agora há pouco ele falou que Hachi morreu atropelado. Isso depois que eles, sei lá por quê, já tinham se separado.

Pela segunda vez, Satoru quase perdeu um gato querido em um acidente de carro...

— Hachi era um gato ótimo... tão comportado! — comentou Kosuke.

— Mas ele não era lá muito ágil — acrescentou Satoru, rindo.

Pelo jeito que eles falavam, Hachi devia ter sido um daqueles gatos que, quando agarrados pelo cangote, deixam as patas penduradas, largadas. Um molenga, isso sim. Ha! Que patético. Um gato de verdade encolhe as patas, bem junto do corpo.

Eu? Eu sou um gato de verdade, é claro. Não tinha nem seis meses quando peguei meu primeiro pardal! E olha que os bichos que voam são bem mais difíceis de pegar que os de quatro patas.

— Ele ficava tonto só de correr atrás daqueles brinquedinhos...

— E Nana, como é?

— Ele adora ratinhos de brinquedo. Daqueles feitos com pelo de coelho.

É por causa do cheiro de mentira! Então, quando você joga, eu saio correndo atrás, sem pensar, mas quando eu pego o bicho, vejo que não dá pra comer e que por mais que eu morda não sai caldinho nenhum... Aí me sinto um idiota por ter me esforçado tanto, sabia?

Sabe aquele desenho que passa na televisão, aquele do samurai que fala "Mais uma vez, usei minha espada para algo inútil!"? Então, é bem assim que eu me sinto. "Mais uma vez, usei minhas presas para uma caça inútil!" (Só para constar, acho que Satoru prefere o cara da pistola ao samurai.)

Podiam, no mínimo, rechear o bicho com um peito de frango… Não tem como enviar essa minha reclamação para as empresas desse tipo de produto? Não adianta dar ouvidos só para os donos dos animais, vocês têm que olhar para seus verdadeiros fregueses! Nós somos os usuários finais.

Depois disso, onde podemos aliviar essa frustração da batalha? No meu caso, é nos passeios. Só que Satoru quase sempre vai comigo quando saio para passear, o que dificulta muito minhas caçadas.

Sempre que eu encontro uma boa presa, ele faz de tudo para me atrapalhar. Fica fazendo barulho à toa e se mexe muito, de propósito. Quando eu olho feio, ele se faz de desentendido, mas eu sei muito bem o que ele está fazendo.

Depois, quando me vê mal-humorado, agitando o rabo, ele vem se desculpar, todo sem jeito. "Você não come ração em casa? Não precisa dessa matança, vai… Mesmo quando você pega algum bichinho, não come quase nada!"

Seu burro, burro, burro! Todas as criaturas viventes sob o sol já nascem com o instinto assassino! E não adianta nem tentar escapar dizendo que é vegetariano — a única diferença é que nesse caso não dá pra ouvir os gritos das plantas quando morrem! Caçar o que pode ser caçado é o instinto natural de nós, gatos. Sabe por que às vezes eu pego alguma presa e não como tudo? Isso se chama prá-ti-ca!

Vou te contar! Essas criaturas que não precisam mais matar a própria comida são umas frouxas. No fim das contas, Satoru, você é um humano, como todos os outros, né. Não tem como a gente se entender nesse quesito.

— Nana caça bem?

— Dizer que ele caça bem é pouco! Ele já pegou até uma pomba que apareceu na varanda.

Peguei mesmo! Elas ficam desfilando pelo território dos humanos, se achando o máximo, então resolvi dar uma lição nelas. Mas Satoru só faltou chorar. Veio com aquele papo: "Por que caçar um bicho desse tamanho se você nem vai comer?"

Ué, então não atrapalhe minhas caçadas durante os passeios!

Além do mais, você sempre reclamava que as pombas faziam cocô nas roupas do varal. Achei que fosse um caso claro de dois coelhos com uma cajadada só, pois eu poderia praticar a caça e você ficaria feliz. Mas deu nisso. Aliás, já reparou que desde então não apareceu mais nenhuma pomba na varanda? Ainda estou esperando os agradecimentos!

— Fiquei em maus lençóis quando ele fez isso... Se fosse um pardal ou um camundongo, era só enterrar no canteiro do meu prédio, rapidinho, e estava resolvido. Mas um bicho daquele tamanho! Acabei indo até um parque... Só que não fica muito bem, um homem de seus trinta anos abrindo uma cova pra um cadáver de pomba.

— Ainda mais com todos os casos suspeitos que a gente vê por aí...

— Pois é! Quando passava alguém, eu tentava me explicar: "Não repare, é que o gato lá de casa é dose". Mas todo mundo me olhava feio. Pra completar, justo nesse dia Nana não quis ir comigo.

Poxa, se eu soubesse de tudo isso, teria ido com você. Mas não espere que eu peça perdão! A culpa é sua, por não ter me explicado.

— Então Nana é mais selvagem que Hachi.

— Mas também é muito carinhoso. Quando estou triste ou desanimado, ele não sai do meu lado.

Não ache que vai se redimir com isso!

— E ele é muito esperto, tem horas que fico até achando que ele entende nossa língua.

Ai, ai... Vocês, humanos, é que são burros e concluíram, sei lá como, que ninguém mais entende o que dizem.

— Hachi também era muito carinhoso. Quando meu pai brigava comigo e eu ia para sua casa, ele não saía do meu colo.

— Ele percebia rapidinho quando alguém estava mal. Quando meus pais brigavam, sempre grudava em quem tinha perdido a discussão. Assim era fácil até pra mim, uma criança, entender. Quando Hachi chegava perto de um deles, eu pensava: "Ih, esse se deu mal".

— Será que Nana também fica do lado de quem perdeu?

— Com certeza. Ele é muito carinhoso.

Bom, pelo menos nessa parte você não falou "Nana *também* é carinhoso". Merece até um elogio.

Eu até entendo, porque esse Hachi parece ter sido legal, mas de tanto vocês ficarem nessa de Hachi isso e Hachi aquilo, me dá vontade de desaparecer também, só pra ser tão incrível quanto esse gato que foi embora.

— Desculpa — murmurou Kosuke, de repente. — Me desculpa por eu não ter ficado com Hachi naquele dia.

— Tudo bem, não tinha jeito.

O tom de voz de Satoru realmente não demonstrava rancor algum. Ao olhar para Kosuke, tive a impressão de que era ele quem guardava mágoas.

*

Depois que Hachi passou a viver na casa de Satoru, Kosuke também se sentia um pouco dono dele.

Quando ia à casa do amigo, passava todo o tempo brincando com o bichinho, e às vezes Satoru o levava quando ia visitá-lo.

No começo, o teimoso do pai não deixava Hachi entrar em casa, então eles tinham que brincar na garagem, mas de vez em quando a mãe permitia, desde que o gato não fosse para a parte da loja. Assim, aos poucos o pai foi se acostumando. Continuava repetindo, como um disco riscado, que não podiam deixá-lo afiar as unhas nas paredes ou nos móveis, mas depois de algum tempo até dava um pouco de atenção para o bichinho quando passava por perto.

Kosuke continuava frustrado por não ter ficado com Hachi, mas se alegrava ao ver o pai brincando com o gato e se aproximando um pouco de algo de que ele mesmo gostava.

Chegou a pensar que, se encontrassem mais um gatinho, dessa vez poderia ficar com ele. Afinal, ter seu próprio gato, morando na sua casa, seria muito diferente.

Certa vez, quando foi passar a noite na casa de Satoru e os dois dormiam lado a lado, nos futtons estendidos no chão, Kosuke acordou no meio da madrugada com quatro patinhas pisando nele de leve. Era Hachi, atravessando o quarto por cima das cobertas.

Que alegria, acordar com o peso daquelas patinhas!

Kosuke ficou vendo Hachi se enrodilhar e adormecer em cima do peito de Satoru. Talvez fosse pesado, pois, depois de algum tempo, Satoru, ainda dormindo, virou-se de lado e o derrubou. Mas mesmo assim… que inveja! Quando você tem um gato, pode acordar com as patinhas caminhando nas cobertas e dormir com ele!

— Papai até que tomou gosto pelo Hachi… Se a gente achar outro filhote, talvez eu possa ficar com ele!

— Seria demais! Aí Hachi teria um amigo.

Satoru também ficou animado com a ideia, então os dois sempre procuravam caixas com gatinhos abandonados quando iam para a natação.

Só que nunca mais encontraram um gato abandonado lá embaixo do mapa do bairro.

Melhor assim, é claro. Ainda bem que não havia mais pobres gatinhos largados na rua. E, de qualquer jeito, mesmo que eles tivessem encontrado mais um bichano, o pai ranzinza de Kosuke nunca teria permitido que ele o criasse.

Cerca de dois anos haviam se passado desde que Hachi fora morar na casa de Satoru Miyawaki. Os meninos já estavam no sexto ano do fundamental.

Em meados do outono, lá para outubro, uma excursão da escola os levou a Quioto, onde passaram três dias e duas noites. Ninguém ligava muito para os incontáveis templos da cidade, que pareciam todos iguais, mas só o fato de estar longe de casa e junto com os amigos já deixava as crianças alvoroçadas.

Além disso, eles tinham ganhado dos pais algum dinheiro para comprar lembrancinhas, uma soma enorme comparada com a mesada habitual. Todos quebravam a cabeça tentando distribuir o orçamento — havia tantas coisas que queriam comprar para si mesmos, mas também era preciso levar presentes para a família…

Kosuke encontrou Satoru de cenho franzido em uma das lojinhas de suvenir.

— O que foi?

— Não sei qual comprar…

Estava diante de uma seção com várias marcas de lencinhos de papel, do tipo usado para tirar a oleosidade do rosto.

— Mamãe pediu que eu comprasse desses lencinhos, mas ela quer de uma marca específica, e não consigo lembrar qual é!

— Não é tudo a mesma coisa?

Vendo que Satoru continuava indeciso, Kosuke sugeriu que ele deixasse para mais tarde o presente da mãe. O amigo concordou num instante.

— Então vou escolher alguma coisa pro meu pai!

— Boa ideia! Eu também estava pensando em procurar um presente para o meu.

Os dois olharam algumas lojas, e Kosuke foi o primeiro a decidir: um chaveiro com um *maneki neko*, o gato da sorte, com uma bandeirinha nas costas desejando PROSPERIDADE NOS NEGÓCIOS. A escolha tinha um pouquinho de segundas intenções: talvez fizesse o pai gostar um pouco mais de gatos...

— Puxa, esse é demais! — Os olhos do amigo brilharam ao ver a carinha engraçada do gato no chaveiro. — Mas meu pai não é comerciante, então "prosperidade nos negócios" não serve...

— Tem vários outros!

No fim, eles ficaram entre um que dizia SAÚDE ACIMA DE TUDO e outro que dizia SEGURANÇA NO TRÂNSITO. Também tinha um com os dizeres TRANQUILIDADE DOMÉSTICA, mas não entenderam muito bem o que isso significava. Satoru acabou escolhendo o da segurança no trânsito, porque o gato parecia Hachi.

Deixou para procurar o presente da mãe no dia seguinte, o segundo da viagem, pois ainda não conseguia lembrar qual era a marca certa.

Só que no dia seguinte, depois do almoço, Satoru desapareceu.

— Satoru Miyawaki precisou voltar para casa mais cedo, por razões pessoais — explicou o professor responsável, quando a turma se reuniu.

— Nossa! Coitado! — exclamaram os colegas, compadecidos.

Imagina só, ter que ir embora no meio da excursão? Que triste!

— Ei, você não sabe o que aconteceu?

Kosuke não sabia. Devia ser algo muito grave, para ele ir embora sem avisar nem mesmo o melhor amigo.

Satoru ainda nem tinha comprado o presente para a mãe! Ela ia ficar triste se só o marido ganhasse uma lembrança...

Já sei, pensou Kosuke, *vou levar para ele esse tal lencinho de papel, da marca que ela quer.*

Mas... como descobrir qual era a marca?

Enquanto Kosuke quebrava a cabeça tentando resolver esse problema, a turma chegou ao Kinkaku-ji, o templo do Pavilhão Dourado. Todos os alunos soltaram exclamações de espanto diante da construção que reluzia muito ao sol. Era totalmente diferente dos templos tão escuros e sérios que tinham visto até então. Kosuke sentiu um aperto no coração — que pena que Satoru não estava ali para ver aquilo...

No horário livre, ao avistar algumas meninas da sala em uma loja de suvenires soltando gritinhos animados, Kosuke teve mais um momento de inspiração: talvez elas soubessem dizer qual era a marca certa!

Kosuke se aproximou das colegas, que chilreavam como passarinhos.

— Ei, vocês sabem qual é a marca mais famosa daqueles lencinhos de tirar o brilho do rosto?

A resposta veio em uníssono:

— É a Yojiya! Tem naquela loja.

As meninas estavam justamente indo para lá, então mostraram a ele quais eram os lenços.

Mesmo o pacote mais barato custava trezentos ienes... Kosuke hesitou um pouco, calculando quanto lhe restava de seu dinheiro.

Mas... coitado do Satoru, que teve que voltar no meio da viagem. Eu sou o melhor amigo dele e, como conheço Satoru, sei que ele deve estar mais chateado por não ter conseguido comprar um presente para a mãe do que por ter ido embora no meio da viagem.

Kosuke era o único que sabia como o amigo devia estar se sentindo.

Escolheu o lencinho para comprar. Para um menino como ele, era impossível compreender o que havia de tão especial naquele pacote ilustrado com uma boneca tipo *kokeshi*. Era tão fino e leve que ele se perguntou se a tia realmente se alegraria com aquilo. Bom, mas ela é que tinha pedido...

— Foi sua mãe quem pediu esses lenços da Yojiya?

— Não, foi a mãe do Satoru. Ele estava procurando, mas acabou indo embora sem conseguir comprar.

— Puxa, como você é bonzinho! — admiraram-se as meninas.

Não era nada mau ser elogiado assim.

— A mãe dele vai ficar contente, com certeza. Essa marca é muito famosa.

Kosuke achou estranho aqueles lencinhos serem tão famosos assim, mas, ao mesmo tempo, era um alívio ouvir aquilo. Então, a tia ficaria contente, mesmo com um pacote tão fininho...

Talvez fosse uma boa ideia levar a mesma coisa para a própria mãe... Mas ele já tinha comprado uma lembrança para ela no dia anterior, e dois presentes estourariam o orçamento. Além do mais, ele já podia imaginar a cara feia do pai se ela ganhasse dois presentes e ele, nenhum.

Enfim, no terceiro dia, a excursão chegou ao fim. Kosuke voltou para casa no final da tarde.

— Cheguei!

Estava tirando as lembrancinhas da mala e ia começar a contar sobre a viagem quando o pai o surpreendeu com um cascudo.

— Isso lá é hora de ficar animado?

Uma bronca daquelas, justo quando ia entregar um presente? Que injustiça! Com certeza seus colegas de classe não estavam sendo recebidos daquele jeito. Kosuke sentiu um nó se formar na garganta.

Então chegou sua mãe, dizendo docemente:

— Vá logo se trocar, para irmos à casa do Satoru.

— Ah, é mesmo! Satoru teve que voltar mais cedo... Aconteceu alguma coisa?

A mãe baixou os olhos, procurando as palavras, mas o pai declarou sem rodeios, quase irritado:

— Os pais dele faleceram.

Por um momento Kosuke ficou imóvel, como se não compreendesse direito o sentido de "faleceram". Então seu pai fez uma nova investida:

— Eles morreram!

No instante em que Kosuke compreendeu o que o pai dizia, as lágrimas jorraram de seus olhos como se uma barragem tivesse se rompido. Nem o empurrão que levou, "Não fique aí soluçando desse jeito!", foi suficiente para contê-las.

Satoru... Satoru! Como assim?

Na véspera de partirem na excursão, ele tinha ido visitar o amigo. Queria ficar brincando com Hachi, mas a tia o mandou voltar para casa, pois os meninos teriam que acordar cedo no dia seguinte.

"Você pode brincar com Hachi a qualquer hora", dissera ela.

Ele achava que, quando voltasse da excursão e fosse à casa de Satoru, a encontraria novamente. E o tio também, é claro. Tinha certeza de que os veria, como sempre...

E acima de tudo: como Satoru devia estar se sentindo? Ser arrancado da excursão no meio da viagem, para chegar em casa e descobrir que os pais haviam morrido? Era triste demais!

— Foi um acidente de trânsito. Os dois estavam no carro quando uma bicicleta entrou na rua de repente, e na tentativa de desviar... — explicou a mãe.

O ciclista se salvou, mas o casal não sobreviveu.

— Hoje é o velório, então vamos lá fazer companhia para ele, está bem?

Kosuke vestiu a roupa que a mãe havia separado, e os três saíram juntos. Porém, quando estavam chegando à ladeira para subir até a área residencial, ele percebeu que tinha esquecido uma coisa e quis voltar para pegá-la.

— Esqueça esse negócio, depois você pega! — ralhou o pai.

Kosuke insistiu com o pai até convencê-lo. Pediu só a chave de casa, dizendo que os dois fossem na frente. Enquanto corria de volta, ainda ouviu o pai cuspir as palavras às suas costas:

— Moleque bobo!

O velório foi no centro comunitário do bairro, não na casa de Satoru.

Senhoras de preto circulavam atarefadas. Satoru, também de preto, estava sentado diante dos dois caixões dispostos no altar. Parecia deslocado.

— Satoru.

O amigo respondeu com um aceno de cabeça, mas parecia estar longe dali. Kosuke não soube o que mais dizer.

— Olha…

Ele tirou do bolso um embrulho fino. Quando correra de volta para casa, ouvindo os xingamentos do pai, fora para buscar aquilo.

— São os lencinhos de rosto que sua mãe pediu. A marca era Yojiya.

Então, de súbito, Satoru desatou a chorar. Anos depois, quando aprendeu a expressão "debulhar-se em lágrimas", Kosuke se lembrou dessa cena.

Uma mulher de preto correu em direção a eles. Era muito mais jovem que as outras senhoras ao redor. Talvez fosse mais jovem até mesmo do que a mãe de Satoru. Pela maneira como falava com ele e afagava suas costas, devia ser uma parente próxima.

— Oi, você é amigo do Satoru? — perguntou a mulher.

Kosuke se aprumou para responder.

— Sou.

— Será que você pode acompanhá-lo até em casa para ele descansar um pouco? É a primeira vez que o vejo chorar desde que voltou de viagem.

Kosuke ficou aflito. *Então é por minha culpa que Satoru está chorando desse jeito?* Os soluços do amigo eram tão intensos que Kosuke estava assustado. Mas a mulher sorriu de leve, com os olhos inchados.

— Obrigada.

Kosuke tomou a mão do amigo e o levou até em casa. Ao longo do caminho, Satoru dizia frases entrecortadas, soluçando. *O amuleto que eu trouxe para meu pai não chegou a tempo… Era um gatinho da sorte para segurança no trânsito, mas não adiantou de nada… E nem consegui comprar o presente da minha mãe… Obrigado por trazer para mim…*

Só mesmo Kosuke conseguiria decifrar o que ele dizia. Se outra pessoa escutasse, acharia que estava só chorando alto.

Ao entrar em casa, os meninos foram recebidos na porta por Hachi. Sem se assustar nem um pouco com o pranto violento de Satoru, o gato os guiou à sala. Chegando lá, as forças de Satoru finalmente se esgotaram e ele desabou sentado, exausto. Hachi subiu em seu colo e lambeu delicadamente suas mãos.

Quando os dois o resgataram da rua, Hachi era apenas um filhotinho, mas agora parecia ser mais velho que eles.

Satoru passou o funeral muito ereto, ao lado daquela jovem mulher. Havia outras pessoas que pareciam familiares, mas, pelo visto, não eram muito próximas.

Colegas de escola também compareceram, para acender incensos. As meninas soluçavam sentidamente, mas Satoru recebeu a todos sem chorar.

Kosuke ficou admirado, mas, por outro lado, sentia que o amigo tinha se distanciado um pouco. Se estivesse no lugar de Satoru, se seus pais morressem — mesmo aquele seu pai que gritava tanto e que o chamava de bobo por ir buscar uma coisa em casa —, certamente ficaria destruído. Não conseguiria se manter firme daquele jeito.

Satoru não voltou à escola depois do funeral. Kosuke passava na casa dele todos os dias, para entregar o material das aulas. Ficava brincando com Hachi, ao lado do amigo calado.

A mulher que ele conhecera no velório continuou na casa de Satoru. Apesar de parecer tão jovem, era sua tia, uma irmã de sua mãe vários anos mais nova que ela.

Kosuke pensou que o amigo fosse continuar morando na mesma casa, só que com a tia. Ia à casa dele todos os dias, mesmo quando não havia nenhum material para entregar. A tia aprendeu seu nome e o recebia com um "Bem-vindo, Kosuke", mas era uma mulher quieta, muito diferente da irmã, sempre muito alegre. Kosuke agora se sentia na casa de desconhecidos.

— Eu vou ter que me mudar — murmurou Satoru certo dia, do nada.

Aquela tia ia ficar com sua guarda, mas morava longe dali.

Kosuke bem que já estava desconfiado dessa possibilidade, já que Satoru nunca mais voltara à escola, mas mesmo assim sentiu um buraco se abrir no peito ao ouvir isso.

Sabia que de nada adiantaria teimar e fazer birra para tentar reverter essa decisão, então continuou calado, fazendo carinho em Hachi, que estava no colo de Satoru. Assim como no dia do funeral, o gato lambia delicadamente as mãos do dono.

— Mas Hachi vai com você, não vai?

Assim seria um pouco menos triste. Pelo menos Satoru não estaria sozinho naquele lugar desconhecido para onde ia.

Satoru balançou a cabeça.

— Não vou poder levar ele. Porque minha tia está sempre se mudando por causa do trabalho...

Pela cara de Satoru, o amigo também sabia que não adiantava teimar nem fazer birra. Mas aquilo já era demais!

— O que vão fazer com Hachi?

— Um parente distante vai cuidar dele pra mim.

— Você conhece bem esse parente?

Satoru balançou a cabeça, em silêncio. A indignação de Kosuke aumentou e se transformou em raiva. Como podiam mandar Hachi para a casa de um desconhecido?

Um gato tão bonzinho, que lambia a mão do dono com aquele carinho todo...

— Eu... eu vou pedir ao meu pai pra ficar com Hachi lá em casa.

Afinal, já era em parte dono do gato mesmo. Se Hachi ficasse morando com Kosuke, Satoru poderia visitá-lo quando quisesse. Assim ele veria o amigo e o gato em uma mesma visita.

Além do mais, o pai de Kosuke já tinha até começado a dar alguma atenção para o bichinho quando Satoru o levava a sua casa. No dia em que o resgataram, não deu certo, mas talvez agora ele tivesse sucesso.

Porém...

— Como é que é? Um gato? De jeito nenhum!

A resposta do pai foi exatamente a mesma.

— Mas os pais do Satoru morreram! Ter que mandar Hachi pra casa de um desconhecido, numa hora dessas... é muito cruel!

— Não é um desconhecido, é um parente.

— Satoru falou que não conhece ele!

Para uma criança, um parente distante que ela raramente vê é o mesmo que um desconhecido. Um amigo seria muito mais próximo. Por que os adultos não conseguiam entender algo tão simples?

— Não interessa. Você não pode ficar com ele! Gatos vivem dez, vinte anos! Você vai ser responsável por ele a vida toda?

— Vou!

— Fácil falar, para quem nunca ganhou um tostão na vida.

A mãe não se conteve e tentou intervir a favor do menino, mas, assim como da primeira vez, isso só serviu para deixar o pai ainda mais obstinado.

— É realmente triste o que aconteceu com Satoru, mas uma coisa não tem a ver com a outra! Vá lá dizer a ele que você não pode ficar com o gato.

Um menino de doze anos não tem forças para enfrentar uma sentença como essa. Kosuke se dirigiu aos soluços para a casa do amigo e subiu a ladeira com uma postura abatida.

No dia em que eles encontraram Hachi, Satoru fizera todo o possível para ajudar Kosuke. Seus esforços foram numa direção um pouco equivocada, é verdade, mas ele certamente fez o seu melhor. E depois, quando tudo deu errado, ainda convenceu os próprios pais a ficar com o gato.

Desculpe... Kosuke caminhava cabisbaixo, as lágrimas escorrendo.

— Papai não deixou...

Era o mesmo que ele dissera da outra vez, também chorando, mas, agora, não era tristeza o que o fazia chorar. Era decepção.

Estava decepcionado e com raiva do pai, um homem que se recusava a cuidar de um simples gato até mesmo para ajudar o melhor amigo do filho. Kosuke nunca dissera isso em voz alta porque tinha vergonha, mas, se havia alguém que ele podia chamar de melhor amigo, certamente era Satoru.

Velho maldito! Sou seu único filho, Satoru é meu melhor amigo... E nem assim!

— Tudo bem — disse Satoru, sorrindo entre as lágrimas. — Fico feliz só por você ter feito isso por mim, por tentar.

No dia em que Satoru se mudou, é claro que Kosuke foi se despedir. O inacreditável é que o pai foi junto. Disse que era óbvio que iria, pois Satoru era próximo da família. Kosuke ficou se perguntando como ele tinha a cara de pau de fazer isso, depois de recusar ajuda ao precioso bichinho de estimação do menino?

Esse dia, a despedida de um grande amigo, ficou marcado na memória de Kosuke como a primeira vez em que desprezou profundamente o pai.

* * *

No começo, ele e Satoru trocavam muitas cartas e telefonemas, mas, conforme os dias de distância se acumulavam, a comunicação foi naturalmente ficando mais esparsa. Para piorar, a sensação de permanecer em dívida com o amigo, por não ter acolhido Hachi, projetava uma sombra cada vez maior sobre a amizade dos dois.

Era o tipo de desconforto que certamente teria se diluído na proximidade cotidiana, mas, quando uma dívida assim surge nos últimos momentos anteriores a uma despedida, o tempo que se passa longe parece alimentar a lembrança ruim.

Depois de fracassar em cuidar do gato, Kosuke não conseguia mais pensar em Satoru como "melhor amigo" da forma tranquila como pensava quando pequeno. Ainda assim, sabia que era um amigo especial, por isso nunca deixou de enviar pelo menos um cartão no fim do ano.

A troca de cartões em datas especiais se manteve mesmo depois de terminarem o colégio e entrarem na faculdade. Diziam sempre "Vamos nos encontrar algum dia desses!", mas o tempo que passaram distantes era um obstáculo que os impedia de avançar das promessas para a atitude concreta de marcar um encontro.

Por ocasião da cerimônia de maioridade, celebrada no início de janeiro por todos os jovens que completariam vinte anos naquele ano, Kosuke reencontrou muitos dos antigos colegas de escola. Vários conhecidos que ao longo dos anos haviam se mudado para outras províncias voltaram à cidade natal para participar da cerimônia. Mas Satoru não foi. Onde será que ele comemorou a maioridade?

A cerimônia foi muito divertida e deu início a uma onda de reencontros de escola. Ainda era cedo para reunir os colegas do ensino médio, mas eles se alegravam em rever os colegas do fundamental. Quem ainda morava na mesma província organizava os eventos e convidava os que haviam se mudado para longe.

Kosuke morava no mesmo lugar, então logo chegou sua vez de organizar um reencontro. Dessa vez, foi a turma do sexto ano.

Incentivado por seu título de "organizador dos reencontros", ele tomou coragem e enviou um convite para Satoru Miyawaki. Era o único que sabia seu endereço.

Satoru respondeu ao convite com um telefonema. Sua voz continuava animada como nos tempos em que era uma criança travessa, e, apesar do hiato de tantos anos, a conversa fluiu facilmente. Tagarelou sem parar, como se quisesse tirar o atraso.

— Foi ótimo falar com você! Até a próxima!

Assim que Kosuke pousou o fone no gancho, ele tocou novamente. Satoru tinha esquecido de responder sobre o encontro. Ele iria, é claro.

Desde então, os dois retomaram o contato e passaram a se encontrar algumas vezes por ano. Satoru morava na região de Tóquio, mas para adultos a distância não é um empecilho tão grande.

Satoru se formou em Tóquio e arranjou um emprego por lá. Kosuke, por sua vez, se formou em sua terra natal e começou a trabalhar ali mesmo.

Cerca de três anos antes disso, herdara o estúdio fotográfico do pai.

Mesmo adulto, Kosuke continuava tendo um relacionamento difícil com o pai, cuja saúde enfraquecera ao longo dos anos, levando-o à decisão de fechar seu negócio e se mudar para uma região rural. Vinham de uma família de proprietários de terra, então ainda havia alguns terrenos sobrando aqui e ali.

O estúdio, onde o pai de Kosuke ainda morava até então, passou algum tempo fechado, mas a manutenção era trabalhosa e o pai decidiu vendê-lo. Ao ouvir essa notícia, anunciada no tom impositivo de sempre, Kosuke sentiu uma tristeza que o surpreendeu.

Sempre se sentira próximo da fotografia, desde pequeno. O pai, sempre tão irritadiço e explosivo, explicava tudo com paciência quando falava do assunto. Também lhe dava as câmeras que não usava mais. Graças a isso, Kosuke tinha uma boa noção de fotografia — ainda que conhecesse apenas o estilo do pai — e às vezes até ajudava nas sessões do estúdio.

Esses momentos em que lidavam com fotografia eram os únicos em que pai e filho se entendiam. Ou seja, se o estúdio desaparecesse da vida deles, a relação só ia piorar.

Kosuke não conseguia se conformar. Conversou com a esposa e, considerando também que a empresa onde trabalhava não ia muito bem das pernas, disse ao pai que poderia cuidar do negócio, se ele quisesse.

A alegria do pai foi surpreendente. Quase chorou de emoção.

Ah... talvez agora as coisas melhorem, pensou Kosuke. *Antes tarde do que nunca.*

— Foi o que eu pensei, mas... — murmurou ele, com um suspiro exasperado.

Satoru o olhou apreensivo.

— Vocês continuam brigando?

— Ainda não era hora de tentar ser um bom filho para um pai tirano e egoísta como o meu...

Desde que reabriram o estúdio, o pai de Kosuke aparecia por lá a toda hora, sem ser convidado. Falava como se tivesse se aposentado e se recolhido para o interior, mas não era tão longe, então a distância não representava empecilho algum.

O velho se metia nas decisões de gerência, dava palpites sobre a direção dos negócios, comportava-se como se ainda mandasse em tudo. E, ainda por cima, tinha mania de fazer comentários inconveniências à nora, como "Agora é sua vez. Você precisa providenciar logo um herdeiro para o Estúdio Sawada".

E ela era quem mais sofria por não conseguir engravidar. A mãe de Kosuke já havia censurado o marido algumas vezes, mas, como sempre, o velho só ficava ainda mais teimoso quando ela se envolvia.

Finalmente, no ano anterior, o casal foi abençoado com uma gravidez. Porém, durante o período instável do começo da gestação, ela sofreu um aborto.

O choque a deixou arrasada. E, nesse momento, o pai de Kosuke disse a pior coisa possível: "Bom, agora a gente já sabe que você é capaz de fazer uma criança, pelo menos".

Kosuke perdeu o chão. *O que eu fiz para merecer um pai assim?* Já tinha perdido a conta de quantas vezes pensara isso, desde criança. Desde aquele dia em que, mesmo tendo recusado ajuda a Satoru quando ele mais precisava, o pai fora se despedir dele de cara lavada.

— Depois disso, minha esposa voltou para a casa dos pais... A família dela também ficou furiosa. Eu nem tive como me explicar.

O pai dele, porém, nem se abalou. Disse apenas que "essas mocinhas de hoje em dia são muito sensíveis".

— Às vezes chego a torcer pra que ele morra logo... — comentou Kosuke, como se pensasse alto, mas, ao se dar conta do que acabara de dizer, apressou-se em pedir desculpas.

Será que essa insensibilidade era herança do pai?

Mas Satoru riu e disse que não se preocupasse.

— A relação entre pais e filhos é diferente em cada família. Eu nunca quis que meus pais morressem, é claro, mas isso é porque a gente se dava bem. Não sei como eu me sentiria se eles fossem diferentes. Não é a toa que dizem que a pior coisa são relações de sangue que azedam...

Como Kosuke continuava se sentindo culpado, Satoru deu um sorriso maldoso e brincou:

— Se fosse eu no seu lugar, também não sei se conseguiria gostar do meu pai...

Kosuke riu ao tentar imaginar a proposição absurda.

— Acho que algumas pessoas no mundo não deveriam ter filhos — prosseguiu Satoru. — O amor entre pais e filhos não é uma coisa garantida. — Era surpreendente ouvir isso de um amigo que tinha perdido tão cedo os pais que tanto amava. — Espero que sua esposa volte logo.

— Será que ela volta? Não deve ser só por causa do sogro que ela foi embora...

Ela também devia estar cheia do próprio marido, incapaz de se impor diante do pai, pensava Kosuke, acostumado a se calar quando gritavam com ele. Adquirir um hábito desde pequeno pode ser ótimo, se for um bom hábito. Kosuke, porém, adquirira o condicionamento errado, e agora não encontrava palavras para reagir aos absurdos que o pai dizia.

— Seu pai se mete tanto assim na vida de vocês?

— Sim, ainda mais agora que o movimento no estúdio está diminuindo.

Hoje em dia, poucas pessoas tiram fotos em estúdio nas ocasiões importantes. É uma questão de costumes, mas o pai de Kosuke achava que, se a clientela estava diminuindo, o gerente era um incompetente. Assim, insistia em se colocar como aquele que salvaria o futuro do negócio e se metia cada vez mais. Kosuke conseguia até ignorar os comentários do pai, mas, por algum motivo que não entendia, nunca conseguia mandá-lo embora.

*

Comigo não tem disso. Na hora de dizer não, eu digo na lata. Todos os gatos deste mundo são criaturas muito competentes nesse aspecto.

Vir morar na casa de um sujeito imaturo desses, que está aí achando que a esposa vai voltar só porque ele adotou um gato? Pela minha honra de felino, eu respondo sem titubear: *no way*!

— Nana, será que você tá mais tranquilo? — disse Kosuke, levantando-se do sofá e indo até minha caixa.

Pode vir! Se você tentar me tirar daqui e me pegar no colo, risco sua cara toda, na vertical e na horizontal, para você poder jogar damas por três meses!

Arreganhei os dentes para Kosuke, que vinha esticando a mão para dentro da caixa e fazendo "Pss, pss, pss".

Este espaço aéreo que você está tentando invadir é cuidadosamente monitorado, meu amigo! Se ficar de gracinha, vai se arrepender.

— Pelo jeito, ainda não dá...

Kosuke tirou a mão, desanimado.

— É... acho que vai ser mais difícil do que eu imaginei. — Satoru hesitou um pouco e continuou, meio sem jeito: — Escuta... Se for pra você ter um gato, não é melhor arranjar um novo, com a sua esposa?

— Como assim?

— Se você pegar meu gato, vai ficar parecendo que fez isso para se vingar do seu pai...

— Ele nem deve mais lembrar que rejeitou Hachi!

— Mas você lembra.

Kosuke não conseguiu retrucar.

Isso aí, Satoru! Falou e disse.

Não nego que ele seja um bom amigo, dispondo-se a cuidar de mim só para ajudar você, mas precisamos admitir que nisso aí tem também certo desejo de se vingar pelo passado, já que eu pareço tanto o outro gato.

E também por esse velho difícil ter feito a esposa dele ir embora.

— Para vocês dois, seria melhor um gato novinho, sem toda essa bagagem.

— Mas... — Kosuke só faltou fazer beicinho. — Eu realmente gostava do Hachi. Queria ter ficado com ele, naquela época.

— Eles são parecidos, mas o Nana é o Nana. Ele não é o Hachi.

— Você mesmo disse que sentiu que estavam destinados a ficar juntos porque ele parecia Hachi. Se ficar com Nana era seu destino, é o meu também.

Aiiii, como é que os humanos podem continuar tão tapados mesmo depois de grandes? Não é possível!

— O meu Hachi morreu quando eu estava no colégio. O seu Hachi continua vivo.

Exatamente! A questão do Hachi já está resolvida para Satoru. Por isso, ele consegue ter lugar no coração para Hachi e para mim. Mas para você é diferente, não é, Kosuke? Só agora você soube que Hachi morreu. Pode ter absorvido a notícia racionalmente, mas ainda não sente isso de verdade.

Para superar a morte de um gato, é preciso passar pelo luto. Ouvindo assim, de repente, sobre a morte de um gato do qual você não tinha mais notícias, você pode pensar que é uma pena, mas é difícil sentir realmente a tristeza.

E o problema, Kosuke, é que aí você quer que eu assuma o lugar do Hachi. Sinto muito. Eu, que sou amado por Satoru como Nana, não vou poder servir de substituto.

Some-se a isso seu pai intratável e sua esposa magoada, e pronto, tudo só se complica mais. Sendo extraordinariamente perspicaz como sou, não quero ficar no fogo cruzado desses relacionamentos tão enrolados. Mal aí.

— Procure um gatinho com sua esposa, para ser o animal de estimação de vocês dois. Esqueça seu pai. Talvez ele resmungue um pouco, mas o melhor é ignorar e adotar um gato mesmo assim.

Kosuke não respondeu, mas tinha entendido.

Então, quando ele enfiou a mão na caixa novamente, deixei que me afagasse, como um presente de despedida.

Já está na hora de ser razoável e superar essa história do seu pai, viu? Os gatos se separam de seus progenitores quando têm apenas meio ano de vida.

Satoru carregou minha caixa de volta para a van prata.

Os dois continuaram conversando em pé. O assunto nunca acabava e as despedidas só se prolongavam.

— Ah, escuta! — animou-se Satoru, lembrando-se de alguma coisa. — Lá em Tóquio têm aparecido uns estúdios especializados em fotos de animais, e estão fazendo muito sucesso! Pelo jeito, muita gente quer ter bons registros de seus animais de estimação, pra guardar de lembrança.

— É mesmo? Quem diria! — Kosuke pareceu interessado. — Você já fez fotos assim do Nana?

— Não, nunca ... — E, com um sorriso brincalhão, acrescentou: — Mas se vocês começarem a se aventurar nesse ramo, quem sabe eu não faço?

— É uma boa ideia. — Kosuke também riu. — E, de quebra, seria um prazer enfiar esse plano de negócios pela goela do meu pai...

Satoru entrou na van e abriu a janela do motorista.

— Escuta — repetiu ele —, aquela vez que você me convidou para um reencontro de ex-alunos, quando a gente tinha vinte anos...

Kosuke riu novamente. Que papo velho!

— Fiquei muito feliz por você ter me chamado — disse Satoru.

— Mas por que você se lembrou disso agora?

— É que eu estava pensando... Acho que nunca agradeci pelo convite.

— Deixa disso — desconversou Kosuke.

— Não deixo — insistiu Satoru. — Muito obrigado. Eu achava que nunca mais voltaria pra essa cidade.

Despediram-se. E assim Satoru deixou o Estúdio Sawada para trás.

— Desculpa, Nana! — disse Satoru, enquanto dirigia. — Achei que, para Kosuke, seria melhor ter outro gato. Mas não se preocupe, com certeza vou achar um bom dono pra você.

Relaxa. Nem pedi isso, pra começo de conversa.

E se tivesse me largado lá, você e Kosuke iam sofrer nas minhas mãos, viu? É sério. Sem piedade.

— Ei! — gritou Satoru ao me ver sentado no banco do passageiro. — Nana, como é que você saiu de lá?

Você não sabia? O trinco daquela caixa não é de nada, é só sacudir com jeitinho, pelo lado de dentro, que estou livre.

— Minha nossa, você consegue abrir isso aí, é? Eu não tinha ideia! Preciso comprar uma nova.

Ai, vou te contar... É isso o que você tem a dizer, ao descobrir que eu sei abrir essa porta? Reparou que eu não saí da caixa nem uma única vez até hoje, nem quando você me levava praquele suplício que é o veterinário?

— Bom, talvez não precise... Afinal, isso quer dizer que até hoje você só ficava lá dentro porque é bem-comportado.

Exatamente. Faça-me o favor de demonstrar gratidão por ter um gato tão extraordinariamente perspicaz.

Passei um tempo espichado, olhando a paisagem pela janela, depois me encolhi e me aconcheguei no assento.

O rádio tocava alguma música de rock. Era desagradável, dessas músicas com um baixo que ecoa na barriga da gente. Não sei se os senhores sabem, mas nós, gatos, também temos nossas preferências musicais.

Fiz um draminha, abaixando as orelhas e abanando o rabo. Satoru logo percebeu meu incômodo.

— Não gostou dessa música? Vamos ver se tenho algum CD por aqui...

Satoru botou um CD, e uma orquestra começou a tocar uma melodia delicada. Ótimo, bem mais razoável.

— É o maestro Paul Mauriat. Minha mãe era fã dele.

Não é nada mau. Essa que está tocando agora dá a impressão de que vão aparecer umas pombas. Na minha opinião de gato, eu diria que é uma boa música.

— Nunca tinha visto um gato que gosta de andar de carro! Se eu soubesse, teria levado você pra vários lugares…

Eu não diria exatamente que *gosto* de carros. Esqueceu que quebrei a pata por culpa de um deles?

Eu gosto é dessa van aqui. Que, aliás, já era minha van antes mesmo de eu conhecer você.

Bom, quem vamos visitar agora?

*

Quando Kosuke voltou para dentro de casa, depois de se despedir de Satoru e Nana, viu que recebera uma mensagem nova no celular.

Era da esposa.

"Você pegou o gato?"

Ele ia escrever uma resposta, mas pensou melhor e resolveu telefonar.

Sentiu que, se tentasse naquele momento, conseguiria falar com ela.

Só teve resultado na sétima tentativa, contou todas elas. Será que era o *Lucky seven* do Nana?

— Alô.

A voz da esposa continuava fria.

Vamos lá. Devagar, gentilmente, eu vou derreter esse gelo.

Um, dois e…

— Escuta… Não quer ir comigo procurar um gato novo pra gente adotar?

RELATO 2

Daigo Yoshimine

Estava tocando de novo aquela música, a que parecia que um mágico vai fazer uma pomba sair voando da cartola.

Satoru falou que o nome é "El Bimbo". Por que será que não tem "pomba" no nome? É o que eu faria, com certeza. Que tal "A pomba e a cartola, uma amizade secreta"?

— Ainda bem que o tempo continua bom!

Ele estava alegre com o dia bonito. Nós, gatos, ficamos muito sonolentos quando chove... Será que o clima afeta a disposição dos humanos também?

— É chato viajar de carro quando o clima está ruim...

Ah, fala sério! É uma questão de humor? Ô vidinha fácil que esses humanos levam... Para nós, gatos, as mudanças climáticas realmente afetam as habilidades motoras, sabia? Diminui nossas chances de sucesso nas caçadas, então, para um gato de rua, pode ser uma questão de vida ou morte!

— Vamos descansar um pouco no próximo posto?

A viagem estava sendo muito diferente de quando fomos à casa do Kosuke. Não tinha aquela coisa de ficar parando e andando a toda hora. O nome daquela rua era "via expressa". Ali, nossa van prata só parava quando Satoru anunciava que ia entrar em um posto.

Ele disse que aquele é o tipo de estrada para quem precisa ir bem longe. Realmente, daquela vez a viagem era comprida — tínhamos saído de casa no dia anterior! Corremos o dia todo pela tal via expressa e à noite dormimos em um hotel que aceitava animais de estimação.

Como a viagem era muito longa, o interior do carro estava adaptado para mim. Falando nisso, se me dão licença...

— O que foi?

Satoru se virou ao notar que eu me esgueirava para o banco de trás.

— Ah, perdão.

Relaxa.

É que meu banheiro estava no chão, na traseira da van. Satoru comprara uma caixa nova, de um tipo que tem uma tampa para evitar cair areia com o veículo em movimento.

Assim, Satoru e eu podíamos ir na van para qualquer lugar!

Seria tão bom se a gente pudesse viajar daquele jeito pelo resto da vida...

— Nana, vamos parar.

Beleza!, respondi distraído, revolvendo a areia.

Satoru parou no posto e pegou no porta-malas minhas tigelas de ração e água. Colocou as duas no piso da van e as encheu.

— Agora é minha vez de ir ao banheiro — disse.

Ele bateu a porta da van e saiu andando aflito. Devia estar bem apertado, mas mesmo assim deixou tudo preparado para mim antes de correr para o sanitário do posto. É por esse tipo de coisa que Satoru é um dono tão bom.

Eu estava aliviando a sede quando ouvi uma batidinha no vidro da van. Ah, não... de novo, não!

Dei uma olhada discreta: eram dois jovens, provavelmente um casal, com o rosto grudado na janela. Os dois com cara de idiota.

— Um gatoooo!

Pois é, e o que é que tem? Por acaso nunca viram um gato comendo ração?

— Aaah, ele está comendo! Que gracinha!

— É mesmo!

Ô, seus abobados, já se colocaram no meu lugar? Como vocês iam se sentir com alguém apontando e fazendo escândalo enquanto vocês comem? Iam conseguir comer com tranquilidade, apreciar o gosto da comida? E justo hoje que a ração é Premium Blend Peito de Frango & Consomê de Frutos do Mar!

Como é que esses gateiros malucos sempre me encontram tão rápido, hein? Chego a ficar admirado! É só a gente encostar o carro para descansar que eles aparecem.

Se vocês é que tivessem me alimentado, poderiam ganhar um pouco de atenção, proporcional à qualidade da comida. Mas quem me deu isso aqui foi Satoru, tá? Então, se me permitem, gostaria de me concentrar no meu Premium Blend Peito de Frango & Consomê de Frutos do Mar. Com licença.

Já falei que quero me concentrar!

Ignorei o casal e continuei comendo, até que eles finalmente se tocaram e foram embora, entre gritinhos e risadas.

Porém, pouco tempo depois senti um olhar intenso nas costas. Nossa, que força é essa? Sem pensar, me voltei para ver. Desta vez, encontrei grudada na janela a cara assustadora de um tiozão com jeito de pescador.

Ai, credo! Eu me encolhi todo por reflexo, e o tiozão pareceu profundamente magoado. Poxa, qualquer um ia tremer nas bases se descobrisse uma cara assim o encarando enquanto come. Não tenho culpa, tenho?

Ele ficou arrasado, mas continuou com o rosto no vidro, me olhando fixamente. Assim é capaz de a comida até fazer mal…

— O senhor gosta de gatos?

Era Satoru, voltando do banheiro. O homem respondeu meio atrapalhado:

— É um gatinho muito fofo.

Onde já se viu um coroa desses falar "gatinho fofo"?

Ele já ia se afastar, mas não aguentei vê-lo ir embora chateado. Ergui a cabeça e soltei um miado. Lá fora, Satoru sorriu.

— O senhor gostaria de brincar um pouco com ele?

O sujeito corou como uma criança. Eu me aproximei da porta que Satoru abriu e deixei o homem me agradar com a mão vacilante que estendia. Seu rosto quase derreteu de alegria.

— Aaain, um gato!

O grito estridente veio de um grupo de jovens de roupas espalhafatosas que passava.

— Também quero fazer carinho nele! Eu sou a próxima, tá?

Cale a boca! Eu não devo nada a vocês, ouviu bem? Arreganhei os dentes e arrepiei os pelos das costas.

— Ai! Ele ficou bravo!

As meninas foram embora fazendo o maior drama.

— Poxa, eu só queria brincar com ele!

— Deixa pra lá. Era um gato esquisito, parecia que tinha sobrancelhas.

Como é que é? Fiquei tão chocado com o insulto despropositado que meu queixo caiu como no reflexo de Flehmen, me deixando com uma cara ridícula.

— Não, você é lindo! Lindo, Nana! — disse Satoru, aflito, tentando consertar. — Olhe só as roupas dessas meninas. Elas devem ter um senso estético, digamos, bem singular, então vamos perdoar essa gafe, tá bom?

— Verdade, ele é um gatinho muito lindo. O nome dele é Nana?

— É, sim, porque ele tem o rabo torto na forma de um 7.

Na minha opinião, não há necessidade de explicar a origem do meu nome para qualquer um que perguntar, mas Satoru é um cara muito aberto.

— Ele não costuma deixar as pessoas fazerem carinho?

— Pois é, fora de casa ele é bem seletivo, não é muito de deixar mexerem com ele.

Ao ouvir isso, o tiozão ficou ainda mais feliz e me fez um último cafuné antes de se afastar.

— Quem diria, Nana! Nunca vi você deixar um desconhecido brincar assim com você.

É... digamos que foi uma compensação por danos morais. Vamos deixar isso pra lá.

Retomamos a viagem, e, depois de algum tempo na estrada, me espichei para olhar pela janela. Dava para ver o mar!

— Você gosta mesmo do mar, hein?

A cidade onde nasci e cresci não tem nenhuma praia por perto, então eu só tinha visto o mar na televisão. Quando vi ao vivo pela primeira vez, pela janela do carro, gostei muito.

A água cintilava ao sol com aquela cor bonita, um verde-petróleo... E o mais importante era que lá no fundo desse oceano verde brilhante estavam alguns dos ingredientes do Premium Blend Peito de Frango & Consomê de Frutos do Mar. Só de pensar nisso, fico apaixonado. Ai, babei.

— Se a gente acabar voltando junto, como da outra vez, podemos dar uma passadinha na praia.

Opa, pode ser. Se eu tiver sorte, capaz até de conseguir pegar uns desses tais frutos do mar.

Depois que o mar sumiu de vista, tirei uma soneca. Quando acordei, a paisagem era de uma cidadezinha de interior agradável. A van passava voando como um besouro-de-água por entre os arrozais e plantações, que se estendiam até onde a vista alcançava.

— Ah, acordou? Estamos quase chegando.

Pouco depois, paramos diante de uma propriedade rural. Era um lugar feio, do tipo que prioriza a praticidade e o espaço, com uma casa principal, uma edícula e um galpão. Em frente havia uma caminhonete estacionada.

Pulei para o banco traseiro e entrei por conta própria na caixa, que estava com a portinhola aberta. É que, quando vou entrar na casa de desconhecidos, prefiro ficar no meu cantinho, em algum lugar familiar.

Satoru abriu a porta traseira e pegou a caixa.

— Satoru Miyawaki!

Espiei pelas frestas da caixa ao ouvir o cumprimento. Um homem com roupas de agricultor e chapéu de palha acenava para Satoru.

— Há quanto tempo, Yoshimine! — respondeu Satoru, entusiasmado. — Você parece ótimo.

— Trabalhar na roça o dia inteiro deixa a gente forte! E você emagreceu um pouco, não foi?

— Você acha? Bom, eu levo a vida insalubre da cidade.

Conversando, os dois se dirigiram à casa principal.

— Foi fácil chegar?

— Foi. Hoje em dia os GPS são muito bons.

— Mas eu não acredito que você veio de carro de Tóquio até este fim de mundo. De avião seria mais rápido e mais barato! Não ficou muito caro vindo por terra?

Muito bem observado, meu caro. Satoru teve que sacar a carteira muitas vezes até aqui: para os pedágios, a gasolina, o hotel em que dormimos ontem…

— Ficou, mas é que se a gente viesse de avião, Nana seria despachado como bagagem. Dizem que o compartimento de carga é totalmente escuro e muito barulhento… Uma vez despachei por avião um gato que eu tinha e depois ele passou o dia todo apavorado. Os gatos não entendem o que está acontecendo. Então fiquei com dó de fazer isso com Nana.

Hachi pode até ter ficado apavorado, mas se ele aguentou viajar de avião, muito me surpreende você ter achado que eu não fosse aguentar. Talvez você me ache mais selvagem, já que passei boa parte da vida como gato de rua? Deve ser isso.

Muito mais preocupante do que o meu bem-estar é que, numa hora dessas, você esteja gastando dinheiro desse jeito.

Entramos na casa principal, e o anfitrião nos conduziu à sala de estar. Lá, Satoru colocou a caixa em um canto e abriu a porta.

Yoshimine se agachou na frente da caixa.

— Posso dar uma olhada nele?

— Pode, mas talvez ele demore um pouco para sair, porque não está acostumado.

— Não tem problema.

Como assim, "não tem problema"?

Eu me perguntava isso quando um braço enorme invadiu a caixa.

AAAAAAAAHH!

A mão gigante me agarrou pelo cangote, me arrancou da caixa sem a menor cerimônia e me segurou no alto, pendurado ao léu.

Q-q-que que é isso, seu brutamontes!? Então é por isso que "não tem problema"?

— Muito bem, é um gato de verdade!

O que você está querendo dizer?

— Eeei! Ficou maluco, cara? — Satoru deu um tapa nas costas do amigo. — O que você tá fazendo?

— Só verificando se é mesmo um gato de verdade.

Dizendo isso, ele me colocou no colo, entre seus braços enormes. Comecei a chutar para tentar fugir, mas os braços continham meus chutes tranquilamente.

— Como assim "gato de verdade"? Isso não faz sentido!

— Ué, aquela história. Quando você segura um gato assim…

— Não vá pendurá-lo de novo!

— … se ele encolhe as patas traseiras direitinho, quer dizer que é um bom gato.

Ôôô, não vai me deixar sair daqui, não? Empurrei o braço dele com duas patas e me sacudi todo, que nem um peixe, até que consegui pular do colo dele.

Fiz uma pirueta no ar e garanti uma aterrissagem perfeita. Quando eu estava todo encolhido no chão, ergui os olhos para Yoshimine, que bateu palmas.

— Muito bem! Esse aí é um gato e tanto. Tem reflexos ótimos e é esperto. Eu o subestimei, é um gato de respeito.

— É, bem… isso é verdade… — balbuciou Satoru.

Puxa, assim eu fico com vergonha. Embora isso seja o mínimo que um gato… Ei, espere aí!

— Ei, espere aí!

Olha essa sincronia! Somos uma dupla perfeita, Satoru.

— Por que agarrar Nana desse jeito tão brusco? Ele se assustou!

— É que eu arranjei um gato esses dias e depois descobri que ele não era um gato de verdade. Se Nana fosse igual, não faria muito sentido ele ficar aqui, na casa de um agricultor. Achei melhor confirmar.

Eu estava mal-humorado, agitando o rabo de um lado para o outro, até que de repente senti alguma coisa tentando agarrá-lo.

Eu me virei, irritado, e me deparei com um filhotinho tigrado. Ele surgira não sei de onde e agora estava todo alegre, querendo brincar com meu rabo em forma de 7. Ai, que saco.

Yoshimine agarrou o gatinho pelo cangote e o ergueu. Todas as patinhas dele penderam desmilinguidas.

— Viu? Não é um gato de verdade.

Tudo bem, tem razão. Talvez ele realmente não tenha, como gato, uma capacidade inata muito grande. É o famoso gato que não pega rato, que nem Hachi. Com um bom treinamento, ele pode até dar uma melhorada, mas nunca será um caçador como eu. Entendo.

— Ai, não! Não o segure assim, coitadinho, ele ainda é pequeno...

Satoru agitou a mão diante do filhote para brincar com ele.

— Quer pegar? — sugeriu Yoshimine, estendendo o bichinho.

— Quero!

Pensando bem, Satoru também é um gateiro de carteirinha, que nem aquele pessoal do posto. Pode ficar aí se derretendo com esse gatinho. Nem ligo.

*

Chegou um e-mail de Satoru Miyawaki, um colega dos tempos de colégio. Yoshimine andava justamente pensando nele, pois fazia tempo que não tinha notícias.

No e-mail, Miyawaki falava um pouco da vida e depois abordava o assunto principal:

"Desculpa pedir assim de repente, mas será que você podia adotar meu gato?"

Segundo ele, o gato era muito querido, mas, por questões incontornáveis, não poderia mais ficar com ele e por isso estava procurando alguém que o adotasse.

O fato de ele não explicar as tais questões e pedir ajuda só para o gato dava a entender duas coisas: primeiro, que aquele velho amigo louco por gatos tinha encontrado, novamente, um bichinho que amava; segundo, que mais uma vez teria que se separar dele.

Daigo Yoshimine não gostava nem desgostava de gatos. Quando tinha um em casa, dava atenção e cuidava bem, mas não era entusiasmado a ponto de procurar um para criar. Era assim também com cachorros ou passarinhos.

Entretanto, em uma casa na zona rural, ter um gato nunca é má ideia. Nessas propriedades, os ratos são uma praga constante, e, naturalmente, os gatos são a proteção mais eficiente contra isso.

Portanto, ele respondeu assim ao e-mail:

"Eu trato gatos como gatos, só isso, então não acho que criaria seu gato do mesmo jeito que você. Se isso não for um problema, posso ficar com ele. Me avise se não tiver com quem deixá-lo. E pode ficar tranquilo que eu cumpriria todos os meus deveres como dono, é claro."

Satoru Miyawaki respondeu:

"Obrigado. Outra pessoa ofereceu ajuda antes, então vou passar lá primeiro, mas, se não der certo, volto a procurar você."

Cerca de um mês depois, chegou outro e-mail de Miyawaki, perguntando se podia levar o gato para apresentá-los.

Por coincidência, nesse ínterim Yoshimine tinha resgatado um filhotinho na rua.

— Eu estava dirigindo na estrada quando o vi caído no acostamento, que nem um trapinho. Se o largasse lá, à própria sorte, me sentiria culpado depois.

— Entendo.

Miyawaki parecia um bobo, brincando com o filhotinho no colo. Parece que, para os fãs de gatos, filhotes exercem uma atração toda especial.

— Como você cuidou dele, tão pequenininho? Foi difícil?

— Bom, eu perguntei um monte de coisas ao veterinário. E aqui pela vizinhança também tem muitas casas com gatos, então o que não falta são professores.

No entanto, no interior ninguém criava gatos com muita delicadeza.

— Agora que ele consegue comer ração ficou muito mais fácil.

Miyawaki deu uma risada.

— Não consigo imaginar você dando mamadeira pra um gatinho! Que sorte a sua, hein, bichano? Arranjar um dono tão bonzinho!

— Nem sou bonzinho... só achei que ele fosse servir pelo menos pra pegar ratos. Mas, no fim, vi que não é um gato de verdade. Que decepção.

— Sei. Então, agora que ele já está mais forte, vai jogar o bicho na rua de novo?

Yoshimine fechou a cara, mal-humorado. Miyawaki não fez mais provocações e continuou brincando com o filhote.

— Agora entendi por que você queria verificar se Nana é um gato de verdade.

— Criar dois gatos fajutos seria jogar o dinheiro da ração no lixo...

— Mas eu sei que você não recusaria Nana, mesmo se ele não encolhesse as patas.

— É, já que você veio de Tóquio até aqui por terra só para isso, eu não teria como dizer não.

Miyawaki concordou só por concordar, sem dar crédito à justificativa.

— E como chama esse filhote?

— Chatran.

— Que nome mais clichê!

— Você acha?

Um vizinho de Yoshimine que tinha vários gatos dissera a ele que os tigrados laranjinhas deveriam se chamar Chatran. Vinha da combinação da palavra *cha*, pela cor castanha, com *tora*, de tigre. Ele achou um nome legal e acatou a sugestão.

— É que desde aquele filme *As aventuras de Chatran* parece que virou regra dar esse nome a todos os gatos com essa pelagem.

— Eu não sabia de regra nenhuma...

Chatran, com seu nome clichê, já tinha se acomodado tranquilamente no colo do visitante. Devia reconhecer quem gosta de gatos.

— O gato que eu tive quando criança também ficava deitado assim no meu colo.

Yoshimine nunca soubera o nome daquele tal gato que o amigo tivera quando pequeno. Mas não devia ser por mal que ele não contara. Provavelmente, se falasse seu nome, a saudade o deixaria emocionado.

Mesmo um leigo no assunto, que nem sequer sabia sobre essas regras de nome, percebia isso.

Yoshimine foi transferido no segundo ano para aquela escola, na qual ficaria até se formar.

— Este é Daigo Yoshimine. Ele vai estudar conosco a partir de hoje.

A professora da turma era uma jovem muito bonita. Dizem que, nos tempos de faculdade, tinha até ganhado algum concurso de beleza. Desde o primeiro momento, o aluno novo não foi com a cara dela.

Ao explicar os procedimentos para a transferência, ela falava como se eles fossem muito próximos, o que o sufocava. Talvez fosse uma tentativa de se aproximar da imagem que fazia da professora ideal, mas ele não era obrigado a participar dessa encenação.

Ele se esforçou quanto pôde para ignorar esse entusiasmo sufocante, mas não adiantou. Logo no início, a forma como a professora o apresentou passou do limite do que ele conseguia suportar:

— Daigo Yoshimine foi transferido de Tóquio para morar com a avó, porque seus pais trabalham muito e não têm tempo para ficar com ele. Para ajudar os pais, ele veio para outra cidade e vai suportar bravamente a solidão. Que orgulho, não é mesmo? Espero que todos sejam bons amigos para ele.

Assim tudo ficou claro: a simpatia excessiva da professora era uma resposta a um sentimento desnecessário de compaixão. O garoto ficou profundamente incomodado. Até um jovem estudante, sem muita experiência de vida, sabia que aquela era a pior maneira possível de apresentar um novo colega à turma.

— Yoshimine, apresente-se para a classe.

— Escuta... — Parado diante da sala, ele se voltou para a professora. — Para que falar assim da minha vida, na frente de todo mundo? Eu não pedi para a senhora explicar nada disso.

Os alunos se agitaram. No rosto bonito da professora, o sorriso deu lugar a uma expressão inquieta.

— Ah... eu achei que seria melhor para você...

— Muito pelo contrário, para mim é bem desconfortável. Prefiro que as pessoas não fiquem pensando na situação da minha família quando falarem comigo.

A professora balbuciou algo como "mas" ou "é que", até que desistiu de tentar aliviar o clima. Yoshimine se voltou para os colegas.

— Muito prazer. Meu nome é Daigo Yoshimine. Não liguem para isso da minha família, não é nada de mais.

A sala ficou em silêncio total. Ele já tinha estragado o clima logo de primeira.

— Puxa vida! — exclamou a professora, quase num soluço. — Pensei que você estivesse se sentindo sozinho e…

— Qual é minha carteira?

Yoshimine achou que o melhor a fazer seria esclarecer as dúvidas concretas, mas sua pergunta fez com que a professora desandasse em prantos e fugisse da sala, bem na hora em que soava o sinal. Ele continuou sem saber onde deveria se sentar.

— Aqui está livre — indicou Satoru Miyawaki, apontando um lugar vazio atrás de si.

No final do primeiro tempo, quando os colegas de sala, claramente amedrontados, só observavam Yoshimine de longe, Miyawaki se aproximou dele.

— A próxima aula é em outra sala. Você não sabe onde é, sabe? Vamos juntos.

Era aula de biologia. O aluno novo aceitou o convite e se levantou com o caderno e o livro.

Enquanto caminhavam para a sala, decidiu esclarecer sua dúvida:

— Ei… você está sendo legal comigo por causa daquela história que a professora contou?

— Não, nada a ver — respondeu o outro, sem pestanejar. — Mas achei aquilo meio imaturo. Os dois lados.

Os dois?

— Eu também?

— Essa professora é assim mesmo. Ela faz questão de ser gentil com os alunos que têm algum problema em casa e acaba exagerando. Mas não é por mal.

Aquela forma de colocar as coisas fez Yoshimine desconfiar que os dois pensavam do mesmo jeito.

— Eu sei como você se sente, porque no primeiro ano passei pela mesma coisa com ela. Quando eu estava no fundamental, meus pais morreram num acidente de carro, e agora eu moro aqui com a minha tia. Só que a professora não precisava contar isso pra turma toda, precisava?

A situação do menino, que ele descrevera com tanta tranquilidade, era muito mais trágica que a de Yoshimine. Ele tinha sido tratado com muito mais drama pela professora.

— Mas não adianta reclamar de cada coisinha que ela faz. Você tem que ser maduro e não ligar!

Você é que parece ser um pouco maduro demais para sua idade, pensou Yoshimine. Mas não retrucou, afinal, o menino até que tinha razão.

— Para falar a verdade, foi legal de ver. No fundo, eu queria ter dito a mesma coisa quando ela me apresentou, no ano passado.

— Como você se chama?

Ele ainda não sabia o nome do colega. — Satoru Miyawaki. Prazer!

Nem era preciso falar nada. A essa altura, a amizade dos dois já estava consolidada.

Apesar de ter jogado aquele balde de água fria na professora e nos colegas logo no início, Yoshimine conseguiu se virar bem na escola, graças à proximidade com Miyawaki.

O novo amigo era bem-humorado e sociável, então bastava ficar ao seu lado para interagir com os outros. Se não fosse por isso, talvez Yoshimine tivesse passado todo o tempo sozinho. Ele não tinha um jeito muito afável, e sua personalidade e seu rosto naturalmente sisudo tendiam a afastar as pessoas.

Até passou a almoçar com vários colegas, a convite de Miyawaki. Ficava só escutando, porque não era muito bom em participar da conversa, que fluía animadamente. Mas mesmo como ouvinte ele se divertia.

Certo dia, quando a comida que trouxera de casa não foi suficiente para matar a fome, Yoshimine se levantou da mesa de súbito para comprar um lanche na cantina.

— Yoshimine! — chamou Miyawaki. — Aonde você vai?

— Na cantina. Acho que vou comprar um sanduíche.

— Você só pensa em comida, é? Não reparou que estavam falando com você? Ignorou o garoto!

Ao ouvir a bronca, o menino coçou a cabeça e se desculpou. atrapalhado. Todos os colegas riram.

— Posso ir? — perguntou.

— Pode, pode — respondeu, rindo, o colega que tinha tentado falar com ele.

Desde criança, os comentários nos boletins de Daigo Yoshimine ressaltavam que ele seguia seu próprio ritmo, sem se importar com os demais. Não raro, esse hábito causava problemas e mal-entendidos, mas dessa vez, graças à intervenção clara e objetiva de Miyawaki, não houve consequências.

Satoru Miyawaki também tinha dado um jeito de remediar a situação desagradável com a professora. O que ele fez ou disse era um mistério, mas o fato é que certo dia ela parou Yoshimine no corredor e se desculpou, chorosa:

— Me perdoe por não ter entendido direito como você se sentia...

De alguma maneira, Miyawaki tinha criado uma explicação para o ocorrido que casava bem com a imagem que ela tinha do professor ideal. Yoshimine desconfiava que isso só tinha aumentado o mal-entendido, mas achou que o melhor era não tentar se explicar. Resolveu seguir o conselho do amigo, que o mandara ser mais maduro, e respondeu de forma concisa:

— Não se preocupe.

— Pode ficar tranquilo, viu? — prosseguiu a professora. — Nunca mais vou falar sobre sua família.

Sem dúvida, a professora tinha entendido alguma coisa errado... Só Miyawaki saberia esclarecer o que se passava na cabeça dela.

— Lá em casa, tanto meu pai quanto minha mãe trabalham fora. E os dois gostam um pouco demais do que fazem — explicou ele ao colega.

O pai trabalhava na área de desenvolvimento de uma grande empresa de eletrônicos, e a mãe, em uma multinacional. Era difícil os dois estarem em casa ao mesmo tempo. Muitas vezes, o menino passava dias sem nem ver os pais.

— Faz alguns meses que o ritmo de trabalho dos dois aumentou ainda mais... Com isso, acho que todas as coisas da casa começaram a ser um incômodo para eles, sabe? Inclusive eu.

Os pais quase discutiam ao tentar decidir quem se encarregaria das tarefas relacionadas ao cuidado do filho. E a casa, sempre em segundo lugar em relação ao trabalho, foi ficando cada vez mais abandonada.

— Então eles resolveram que minha vó paterna cuidaria de mim até as coisas se acalmarem.

— Entendi... Que chato!

— É, me despedir dos amigos foi meio chato...

Mas se despedir dos pais não tinha sido muito difícil. Yoshimine não convivia o suficiente com eles a ponto de sua ausência o entristecer.

— Além disso, eu gosto da minha avó e sempre passei as férias aqui. Então, para mim, não mudou muita coisa. Por isso eu não queria uma apresentação dramática daquelas...

Não era uma situação grave. Por isso, quando as pessoas demonstravam pena dele, como aquela professora, era desconfortável. Afinal, no mundo há crianças que passam por coisas muito piores. Satoru Miyawaki, por exemplo.

Perder os pais ainda criança era muito pesado, mas Miyawaki era um cara tão alegre que nem parecia ter enfrentado aquela tragédia.

Um colega interrompeu a conversa dos dois:

— Ei, Yoshimine! Quer entrar para o clube de judô?

— Não.

A resposta foi tão direta que o menino hesitou. Mas ele ainda insistiu, falando que Yoshimine já poderia entrar direto como titular da equipe do colégio.

— Não acha uma boa?

— Não — repetiu Yoshimine, sem cerimônia.

Desta vez o colega desistiu e foi embora.

Por causa de seu físico grande e forte, os clubes de esportes viviam fazendo propostas a Yoshimine. Mas ele recusava todas.

— Você não tem vontade de entrar para um clube? — perguntou Miyawaki.

— De esportes, não muito.

Embora fosse forte, ele achava sufocante e desagradável a ideia de ter que se movimentar de acordo com regras.

— E se não for de esporte?

— Se fosse um clube de horticultura, eu entrava.

Sua avó era de uma família de trabalhadores rurais e ainda trabalhava nos campos. Yoshimine sempre a ajudara no trabalho.

— Sabe aquela estufa que tem no canto do pátio? Será que alguém usa?

Ele tinha essa curiosidade desde que chegara à escola. Talvez desse para cultivar alguma coisa ali.

— Não sei, nunca pensei nisso... Você se interessou pela estufa?

— É que a horta da minha vó é aberta. Nunca experimentei uma estufa!

— Você gosta mesmo dessas coisas, hein?

Yoshimine achou que a conversa tivesse terminado por aí, mas Miyawaki retomou o assunto depois de alguns dias.

— Perguntei sobre o clube de horticultura e me disseram que acabou há uns anos, por falta de interessados. Mas o professor de biologia disse que, se a gente quiser, ele pode ser o responsável pelo clube. E que dá pra usar a estufa!

Aquilo surpreendeu Yoshimine por dois motivos: primeiro, porque Miyawaki tinha se dado ao trabalho de ir se informar sobre o assunto e, segundo, porque já estava considerando a si mesmo como um dos membros.

— Você vai participar também? — perguntou Yoshimine.

— Bom, eu também não estou em clube nenhum... Se você for reativar esse, posso participar também.

— Mas você não liga pra essas coisas, liga?

— Não é que eu não ligue, é só que nunca mexi com isso. Antes de vir pra cá, nunca tinha conhecido alguém que morasse no campo.

— Jura? Nem seus avós?

Yoshimine deduziu, admirado, que o amigo fosse um genuíno jovem da cidade grande. Mas Miyawaki se explicou:

— É que meus pais não eram muito próximos da família deles, nenhum dos dois. Meus avós maternos morreram quando minha mãe ainda era jovem e, até onde eu sei, meu pai também não se dava muito bem com os dele. Eu só conheci eles no funeral dos meus pais, e a gente quase não se falou.

Então era por isso que ele morava com a tia. Geralmente, quando uma criança perdia os pais, a guarda passava para os avós, se eles ainda estivessem bem de saúde. Era curioso que Miyawaki tivesse ficado aos cuidados de uma mulher solteira.

— Então pensei que, se eu não aproveitar essa chance, vou passar a vida toda sem saber nada do assunto — concluiu Miyawaki. — Sempre me interessei por esses trabalhos. Parece o *Meu amigo Totoro* — concluiu, rindo.

Sabendo disso, além de começar as atividades do clube de horticultura, Yoshimine o chamou para visitá-lo na casa da avó, já que Miyawaki achava as casas rurais tão exóticas. O menino morava na parte central da cidade e não conhecia quase nada dos subúrbios, que eram tomados por plantações. A casa da avó de Yoshimine ficava no limite daquele distrito escolar — mais trezentos metros e ele teria que frequentar a escola da cidadezinha ao lado —, então a paisagem lá era bem diferente do que se via perto da escola.

A tia de Miyawaki trabalhava muito, e ele passava os dias sozinho. Era o tipo de criança que já tinha até a própria chave de casa. Assim, Miyawaki passou a visitar com frequência a casa dos Yoshimine, às vezes até dormia lá no final de semana.

— Obrigada por ser tão gentil com meu menino! — O típico comentário de uma avó ao receber em casa um amiguinho do neto. — Ele se dá bem com os colegas na escola? Não está sendo maltratado?

— Não se preocupe. Acho que ninguém teria coragem de maltratar Yoshimine...

Yoshimine deu uma cotovelada no amigo, como quem diz: *O que quer dizer com isso, hein?*. Miyawaki devolveu outra: *Você sabe muito bem!*.

A avó, que estava preocupada se o neto conseguiria fazer amigos na nova escola, ficava muito feliz com as visitas de Miyawaki. Logo já estava chamando o menino pelo primeiro nome, Satoru.

— Quer que compre um videogame para você jogar com Satoru-chan? — perguntou ao neto certa vez.

Ela devia achar que Miyawaki estava entediado de só ficar ajudando nas plantações.

— Eu já tenho um! E ele deve ter também.

— Não quer nenhum outro brinquedo então?

— Não se preocupe com isso.

Provavelmente por Miyawaki não ter nenhum parente que morasse no campo, trabalhar com a terra parecia ser uma diversão para ele, com todas aquelas atividades que lembravam a letra de canções tradicionais.

— Acho que ele gostou desse tipo de coisa... Até entrou para o clube de horticultura lá na escola.

— Ah, é?

A avó pareceu convencida. Se ele estava gostando, então tudo bem.

— De qualquer jeito, me alegra muito que você tenha feito um bom amigo por aqui. Assim vai ficar tudo bem!

Não era a primeira vez que ela dizia isso. Pelo contrário: repetia sempre a mesma coisa, como se quisesse se convencer de que estava tudo bem.

Yoshimine ficava um pouco constrangido. *Será que minha vó acha que ainda sou tão pequeno assim?*

Miyawaki não só era amigo de seu neto como também um menino muito bonzinho, então a velha senhora logo criou grande carinho por ele. E ele se afeiçoou muito a ela.

— Puxa, eu queria ter uma avó assim tão legal!

O convívio com um idoso parecia ser uma novidade para o menino, que mal conhecera os próprios avós.

— Se esta velha aqui servir, pode considerar esta casa como a da sua própria avó! — disse a senhora, certa vez.

Yoshimine ficou felicíssimo ao ouvir isso. Nunca tinha visto alguém de sua família acolher tão calorosamente um de seus amigos. Em Tóquio, onde ele também andava sempre com a chave de casa, os pais nunca chegaram a conhecer direito as pessoas com quem ele convivia. Sempre que algum amigo ia visitá-lo, ele estava sozinho em casa.

Os amigos gostavam muito de ir à casa dele e chegavam a ter inveja da liberdade que ele desfrutava, sem nenhum adulto para atrapalhar a diversão, mas ele desejava viver como os colegas — quando eles começavam a sentir uma fominha, logo aparecia a mãe trazendo um lanche.

Os filhos ficavam com vergonha das comidas feitas em casa, meio esquisitas, que as mães serviam. "Sempre que eu digo que vou trazer alguém, ela se anima e faz esses negócios…" Mas Yoshimine achava aquilo uma mordomia. Sua mãe nunca tinha servido nem mesmo um salgadinho de pacote. Ele encontrava apenas um trocado sobre a mesa, todos os dias. E já havia um combinado implícito: se o valor fosse alto, significava que ele precisaria providenciar também o jantar.

Nas raras vezes em que os pais o elogiavam, diziam algo como "Graças a Deus que esse menino não dá trabalho". Ele não podia nem mesmo fazer birra por ser abandonado daquele jeito, pois sua "independência" era justamente o valor que tinha aos olhos dos pais, e ele não estava disposto a descobrir o que aconteceria se perdesse seu único mérito.

— Sua vó é tão boazinha…

Por isso Yoshimine nunca se irritou com o fato de Satoru Miyawaki ter inveja dele pela avó que tinha. Sabia muito bem que ele não se sentia totalmente à vontade com a tia e que não tinha nenhum parente para mimá-lo.

— Venha sempre que quiser. Ela gosta muito de você.

E Miyawaki concordava alegremente.

Certo dia, durante a aula da tarde, Yoshimine olhou para o pátio e viu que o calor intenso fazia o ar estremecer. Era o pico de temperatura do verão que começava a dar as caras.

Aquilo lhe trouxe uma lembrança, e ele se ergueu num ímpeto, surpreendendo o professor e os colegas.

— O que foi, Yoshimine? — perguntou o professor.

— Nada, não — respondeu ele, já se dirigindo à porta da sala.

— Como é?

Nessas horas, sempre sobrava para Miyawaki a função de intervir:

— Como assim "nada, não", cara?

— Eu já volto. Só um minuto.

— Menino!

No fim, quem correu atrás dele não foi o professor, mas Miyawaki.

— O que foi desta vez?

— É a estufa! Esqueci de abrir as saídas de ventilação hoje de manhã. Com esse calor, vai cozinhar tudo!

Eles estavam criando tomates e outros legumes na estufa, além de cuidar das orquídeas que o professor responsável criava como hobby. Para os tomates, era melhor ter um telhado, pois eles não resistem bem à chuva, mas naquela região de clima quente havia o risco de a temperatura subir demais.

— Não podia esperar até o intervalo? Falta só meia hora...

— Mas aí vai ser justamente a hora mais quente do dia. Pra resfriar, tenho que ir o mais cedo possível.

— Você podia pelo menos ter disfarçado, dito que ia ao banheiro... Se eles acabarem com nosso clube, a culpa não é minha!

— Tá, então diga que fui ao banheiro.

Miyawaki suspirou, resignado, e voltou para a sala.

— Yoshimine foi atacado por uma gangue de guerrilheiros! — declarou ao entrar, causando um alvoroço.

O mais importante na vida é ter amigos com presença de espírito e senso de humor.

E assim, causando um ocasional tumulto nas aulas, os dois conseguiram colher belas hortaliças, inclusive tomates, antes das férias de verão. As orquídeas do professor também escaparam à sina de morrerem torradas.

Quando dividiram a colheita entre os três, Yoshimine ficou com um pouco mais de tomates, pois a plantação da avó, em terreno aberto, tinha sofrido com a longa estação de chuvas e não dera grandes resultados.

— Leve mais alguns — disse Miyawaki. — Lá em casa somos só dois, não preciso de tantos.

Yoshimine riu ao ver o amigo tentando lhe empurrar mais tomates. Na casa dele também eram só duas pessoas, e uma delas era uma senhora de idade. Miyawaki argumentou que, entre eles dois, Yoshimine era quem comia mais.

— Você não queria justamente dar bons tomates pra sua vó?

Miyawaki aprendera bastante sobre horticultura durante o semestre e já tinha percebido que os tomates da estufa eram uma garantia para os da plantação da senhora. Agradecido, Yoshimine pegou mais três ou quatro da porção do amigo.

— No começo das férias, vou voltar para minha cidade. Uma semana, mais ou menos.

Bastou isso para Miyawaki compreender.

— Tudo bem. Pode deixar que eu cuido da estufa enquanto isso.

Aquela era a primeira colheita. As plantas iam continuar produzindo frutos.

— É a primeira vez que você volta para casa desde que chegou aqui, não é? Espero que consiga aproveitar.

Miyawaki entendia bem a situação, por isso não disse simplesmente "que legal". Os pais de Yoshimine nem iam tirar folga do trabalho para ficar com ele. A visita era só para verem a cara dele.

— Bom, pelo menos vou encontrar meus amigos de lá.

Era a única perspectiva animadora da viagem.

Bem que eles podiam tirar pelo menos um diazinho de folga para ficar com o filho... Se pensasse muito sobre isso, o menino perdia completamente a vontade de ir para casa, então era melhor deixar de lado.

— Se amadurecerem mais tomates enquanto você estiver fora, levo uns para sua vó — ofereceu Miyawaki.

— Obrigado!

A avó levou o garoto ao aeroporto, dirigindo bem devagar, e ele embarcou no avião para casa.

Ninguém foi recebê-lo no aeroporto de Narita. Era sempre assim, toda vez que ele chegava da casa da avó, onde passava as férias.

Eles moravam em uma cidade-dormitório, e Yoshimine podia pegar o ônibus especial do aeroporto. Depois de passar um semestre inteiro no interior, o apartamento dos pais lhe parecia ainda mais sufocante.

Assim que chegou em casa, o garoto voltou a andar com a chave. Passou os primeiros dias reencontrando os amigos da escola antiga e só cruzava com os pais às vezes: tarde da noite, quando eles chegavam do trabalho, ou de manhã bem cedo, antes que saíssem.

Os dois andavam tão atarefados quanto de costume e ninguém se olhava nos olhos.

Fazia cerca de três dias que ele chegara quando, certa noite, os pais voltaram cedo do trabalho. Excepcionalmente, a mãe preparou o jantar e os três comeram juntos à mesa.

Depois da refeição, a mãe se levantou para preparar um chá, coisa ainda mais rara. Desconcertado, Yoshimine se perguntava o que teria acontecido.

O pai, sentado diante dele, quebrou o silêncio com um tom delicado:

— Temos um assunto sério para falar.

A mãe foi se sentar ao lado do marido. Pelo visto, o que eles tinham para dizer não era muito divertido.

— Bem, nós decidimos nos separar.

Ah, eu sabia!

O menino já desconfiava que esse dia fosse chegar, porque os dois gostavam demais de trabalhar.

— Filho, você quer ir morar com o papai ou com a mamãe?

Estudando a expressão no rosto dos pais, que o observavam após fazer essa pergunta, era impossível não enxergar a realidade.

Os dois engoliam em seco, ansiosos. Não porque quisessem ser escolhidos, mas justamente porque não queriam.

Como podiam ser tão transparentes? Nenhum dos dois acharia ruim se fosse escolhido e ambos certamente cumpririam todos os seus deveres como responsável, porém, no fundo dos olhos pairava a leve expectativa de que ele escolhesse o outro.

— Desculpa. Não consigo decidir agora. Quero pensar um pouco mais.

Essa resposta foi tudo o que ele conseguiu produzir sobre o assunto.

Os dois ficaram claramente aliviados. Sem dúvida, por não terem que lidar com aquele peso tão cedo.

— Posso voltar para a casa da vovó amanhã?

O garoto não conseguiria continuar ali, junto dos pais, sabendo que não passava de um peso para os dois.

Eles não se opuseram, é claro, e no dia seguinte ele já estava no avião. A companhia aérea providenciava todos os cuidados necessários para o embarque de menores de idade, então não havia motivo para se preocupar, mesmo se os pais da criança não pudessem acompanhá-la até o aeroporto. Ainda bem.

A vó o esperava do outro lado, e os dois voltaram para a casa balançando na van que ela dirigia.

— Meus pais vão se separar.

— Ah, é? — respondeu a avó.

— Não sei com qual dos dois eu devia ir morar…

— Daria na mesma, tanto um quanto o outro. O melhor é você ficar aqui comigo.

Um nó se formou de repente na garganta dele.

— Você até já fez um bom amigo aqui. Vai ficar tudo bem.

Ah, então era isso. Finalmente ele compreendeu.

Por isso que a avó repetia aquilo, de que, agora que ele tinha um amigo, tudo ia dar certo.

Ela já sabia que daria nisso. Desde que os pais dele pediram que cuidasse do menino.

O nó na garganta dele só crescia. Quando chegaram em casa, chegava a doer.

— Vou até a escola — avisou ele.

Assim que pisou em casa, trocou de roupa e vestiu o uniforme. Mesmo durante as férias, era proibido entrar na escola com roupas comuns.

— Não quer esperar o sol baixar um pouco? Agora está muito quente!

— É que eu estou preocupado com a estufa.

Ele despistou a avó que tentava impedi-lo, pegou a bicicleta e disparou rumo à escola. Conforme pedalava, com toda a força, o nó na garganta foi se desfazendo aos poucos e desapareceu para dentro de suas entranhas.

A bicicleta de Satoru Miyawaki estava no bicicletário.

Ao chegar à estufa, Yoshimine encontrou o amigo sozinho, colhendo tomates e pepinos alegremente. Parou na porta e balbuciou um cumprimento:

— Opa.

Miyawaki deu um grito de susto.

— Você não ia voltar só daqui a uns dias?

— Ia, mas é que aconteceram umas coisas.

Os dois lavaram as hortaliças colhidas e se sentaram à sombra do prédio da escola para Yoshimine explicar por que tinha voltado antes. Com o canto dos olhos via o time de beisebol praticando lances de defesa no pátio, onde o ar parecia tremer de calor. Era admirável que eles tivessem ânimo de treinar numa temperatura daquelas.

— Nem desconfiei quando meus pais me mandaram pra ficar com minha vó. Desde pequeno já estou acostumado a ser largado por eles mesmo.

Por isso é que tinha ficado tão incomodado com o jeito da professora no primeiro dia. Queria que o deixassem em paz, afinal, aquilo não era nada de novo.

— Mas, no fim das contas, dessa vez tinha algo a mais. Mesmo quando os dois pais trabalham, não é normal mandar os filhos pro interior pra não ter que cuidar deles.

No fundo, aquela era mesmo uma situação excepcional o bastante para fazer a professora se compadecer daquela forma.

— E era tudo uma preparação pro divórcio. Como é que eu não percebi? Que burro que eu sou!

— Não foi burrice — retrucou Miyawaki, que até então só concordava em silêncio. — Você só não queria pensar no assunto, não é?

Ele não conseguiu responder, engasgado com outro nó que se formara na garganta. *Deixa disso, cara!*

Justo agora que ele tinha conseguido, enquanto pedalava, desfazer o primeiro nó, vinha Miyawaki dizer uma coisa daquelas.

É, ele não queria pensar no assunto. Tinha tentado, inutilmente, ignorar a realidade. E agora que ela tinha desmoronado na sua cabeça, ele não conseguia desviar a mente, remoendo um monte de coisas inúteis.

"Graças a Deus que esse menino não dá trabalho." Se ele fosse malcriado, do tipo que dá muito trabalho, será que as coisas teriam sido diferentes?

Desde pequeno, Yoshimine sabia que os pais eram empenhados demais no trabalho. Também sabia que não tinham lá grande interesse por ele. Assim, o melhor a fazer era ser uma criança tranquila, necessitar do mínimo de cuidado possível.

Duvidava que os pais fossem lhe dar alguma atenção caso ele fizesse birras e escândalos. Só porque se sentia carente? Que infantilidade! E acabaria sobrando para ele mesmo. Se fizesse cena e estragasse o ambiente dentro de casa, ele próprio seria o mais afetado. Afinal, era quem passava mais tempo lá dentro.

Enquanto ele se comportasse bem, pelo menos os pais ficavam bem-humorados e o lar continuava agradável. E assim ele, que estava sempre sozinho em casa, esperando, conseguia respirar melhor.

Nas raras ocasiões em que a família se reunia, ninguém se irritava. Mas talvez as coisas tivessem chegado àquele ponto porque ele só pensara no que seria melhor a curto prazo...

Dizem que os filhos são como uma corrente que conecta o casal. Sendo uma criança que não dava trabalho, Daigo Yoshimine garantira um dia a dia tranquilo para a família, mas, por outro lado, não cumprira sua função de corrente quando preciso.

Talvez, numa hora daquelas, a criança que faz birra e escândalo por um motivo infantil como a carência fosse uma corrente mais forte...

Pare com isso!

Yoshimine balançou a cabeça para interromper os pensamentos que se repetiam. Não tinha mais jeito, não adiantava nada ficar remoendo as coisas. Só serviu para aumentar o novo nó na garganta.

— Se bem que... — falou ele, para impedir que os pensamentos recomeçassem. — Tem muita gente por aí com pais divorciados.

Tentou falar em um tom casual, mas o final saiu trêmulo. Será que Miyawaki tinha percebido?

— O seu caso, por exemplo, é bem pior — acrescentou.

— Não dá pra comparar esse tipo de coisa. — retrucou Miyawaki, em tom de reprimenda. — É verdade que meus pais morreram, mas eu tenho pena de você mesmo assim. Até mais do que de mim.

— E eu tenho minha vó.

— Mas meus pais nunca me trataram como um peso, nem uma única vez.

Yoshimine não conseguiu responder mais. O nó na garganta finalmente desatou.

Coitado de mim. Coitado. Coitado.

Mesmo que existam pessoas em situações piores, eu também sou digno de pena. Com meus dois pais torcendo para não serem escolhidos.

Se até Miyawaki, que passou por coisa muito pior, está dizendo que tem pena de mim, então acho que eu posso ter pena de mim mesmo.

Pela primeira vez desde que soube do divórcio, Yoshimine chorou.

Depois de algum tempo, quando os soluços começaram a se tranquilizar, Satoru estendeu um tomate.

— Quer?

*

Puxa! Observei o rosto de Yoshimine, admirado.

No fim, resolvi ficar fora da caixa mesmo. Satoru não quis fechar a portinhola e disse para eu sair quando estivesse à vontade. E aí, por conta da porta aberta, o filhote cor de caramelo, com seu nome idiota de Chatran, entrou na caixa e ficou me amolando.

Viu só, ô caramelo, parece que seu dono também foi abandonado pelos pais!

Ih, o bicho não escutou nada, estava concentradíssimo atacando um rato de brinquedo. Hahaha... Em breve você vai ter raiva desse rato de mentira.

Bem, não adiantava tentar ter uma conversa decente com um fedelho daquele. Chatran está naquela idade de comer, pular para todo lado e, quando acabar a bateria, capotar e dormir onde estiver.

Às vezes ele estava no meio de uma frase quando batia um vento e agitava a barra da cortina, por exemplo. Ele largava tudo e saía correndo para cima da cortina. Será que eu também era tão bobo assim naquela idade? Tenho a impressão de que era um pouco mais razoável... Bom, o desenvolvimento emocional varia muito de um indivíduo para o outro. Seria maldade comparar aquele filhote com um gato tão excepcionalmente perspicaz como eu.

Encaixando os vários pedaços da história, que era interrompida a cada vez que o bichinho se distraía com alguma coisa, entendi que, entre os irmãos com quem nascera, ele sempre fora meio excluído, meio café com leite. Até que, certo dia, quando a mãe partiu em busca de um novo esconderijo, ele não conseguiu acompanhar o passo e foi largado para trás.

Isso não é incomum no mundo dos gatos. As mães logo desistem dos filhotes mais difíceis de criar ou mais lentos. Afinal, por mais que elas se esforcem, a quantidade de leite que conseguem produzir é limitada, então evitam criar os filhotes sem viço, que têm grandes chances de acabar desperdiçando esse leite.

Entre meus irmãos de nascimento também tinha um assim. Era um gatinho tão apático que às vezes a gente nem reparava se ele estava lá ou não. Até que de repente ele não estava mais, como se nunca tivesse existido.

O caramelo era pequeno para a idade dele; em condições normais, talvez nem tivesse vingado. Yoshimine tinha realmente se esforçado. Mas uma criatura tão frágil raramente compensa o trabalho investido.

Ele podia ser um sujeito bronco, do tipo que agarrava pelo cangote as pessoas que acabou de conhecer, mas se não conseguira largar na rua nem um gato inútil daqueles, certamente era uma criatura bondosa.

Por outro lado, o próprio Yoshimine era grande e forte, parecia bem fácil de criar. Quer dizer que os seres humanos são capazes de largar um filho mesmo que ele seja assim? É um pouco triste de se ver. Se fosse um gato, ele teria sido criado com a maior das prioridades.

Bom, deixando isso de lado...

Escuta, você não acha que precisa demonstrar sua gratidão ao Yoshimine, não? Você nem teria vingado, só sobreviveu graças a ele. É, estou falando com você.

O caramelo me escutou por um segundo, mas pelo jeito não entendeu nada, porque foi logo brincando com meu rabo. Hum... acho que vou ter que baixar um pouco o nível da conversa.

Presta atenção: você gosta dele?

Desta vez, acho que ele conseguiu captar a mensagem, pois fez que sim com a cabeça enquanto mordiscava meu rabo. **Ei, seu mala, isso dói!** Sacudi o rabo com força.

Se você gosta dele, não quer deixá-lo contente?

O caramelo não aprendeu com a sacudida do meu rabo. Me agarrou de novo e recomeçou a morder. **Já disse que isso dói!**

Ele quer um gato que pegue ratos, entendeu? Então, se você crescer e virar um gato grande e forte que consegue pegar ratos, ele vai ficar feliz.

As mordidas pararam. Finalmente eu tinha conseguido atrair a atenção dele.

Mas, do jeito que você está agora, não vai dar. Falta muito chão. Se continuar assim, você não pega nem um lagarto, que dirá um rato. Então, escuta bem: se você quiser, eu te ensino o básico sobre a caça. Que tal? E não só a caça, também te mostro os esquemas para você não perder nas brigas. Se ficar apanhando de outros gatos, Yoshimine vai ficar preocupado, certo?

Quando expliquei tudo bem mastigadinho, parece que o caramelo finalmente entendeu. Ele endireitou a postura e solicitou educadamente meus ensinamentos. Muito bem. No mundo dos gatos, é importantíssimo observar a etiqueta.

Quando comecei a ensinar ao filhote as primeiras lições sobre a caça, Satoru soltou uma exclamação contente:

— Olhe aí, Yoshimine! Eles estão brincando!

— Tá com cara de briga...

— Não, não, Nana está se contendo.

Isso aqui não é briga nem brincadeira, é AU-LA. Bom, eles não vão entender, mesmo.

— Se eles estão se dando tão bem, talvez Nana possa ficar morando com você...

Bom, vamos seguir com as atividades por aqui, por favor nos deem espaço e continuem a conversa.

Satoru sorriu contente ao ver o caramelo avançar para o rato de brinquedo.

— Esse jeito meio desajeitado dele lembra o gato que eu tive...

Pois é. Ele agita o rabo de um jeito todo espalhafatoso, bem na hora em que precisa ser o mais discreto possível! Em vez de seguir meu exemplo, espicha o rabo e fica girando ele que nem um helicóptero... Parece uma banda de fanfarra tentando caçar! E a postura também não é boa na hora de se encolher e ficar *à espreita*. Ele deixa o corpo alto demais.

— E Nana, como ele era quando pequeno?

— Eu resgatei Nana já adulto, então não cheguei a vê-lo filhote. É uma pena, porque ele devia ser muito bonitinho.

Isso é verdade. Eu era um filhote tão adorável que as pessoas que passavam por mim chegavam a se estapear para me oferecer tributos. Modéstia à parte, tinha gente que, ao me ver, ia correndo a uma lojinha para comprar uma comidinha para mim.

— Falando nisso — disse Yoshimine, como se tivesse acabado de se lembrar —, no fim você conseguiu reencontrar seu antigo gato?

— Infelizmente, nunca mais o encontrei... Ele morreu quando eu estava no ensino médio.

— Ah! — A voz dele expressava um lamento sincero. — Que pena que não deu para você ir naquele dia. Desculpa.

— Imagina, eu é que peço desculpas... Sou muito grato pelo que você fez. Eu não queria de jeito nenhum que minha tia descobrisse a verdade.

Opa, opa. Satoru, você também aprontou no colégio?

Mandei o caramelo praticar sozinho as poses que eu tinha ensinado e apurei os ouvidos para a conversa dos dois.

*

O divórcio dos pais de Yoshimine prosseguiu sem percalços. Já que ele desejava morar com a avó paterna, sua guarda ficou com o pai, o que também evitou o inconveniente de ter que mudar de sobrenome.

Como se finalmente tivessem sido libertados, os dois logo assumiram cargos no exterior e, pelas notícias que o filho recebia, pareciam estar se saindo bem na nova vida.

E assim se passou cerca de um ano. Quando estavam no primeiro semestre do terceiro ano, Yoshimine e Satoru fizeram uma excursão para Fukuoka com a escola.

Durante a viagem, Yoshimine ficou observando Satoru Miyawaki, porque sabia que o amigo tinha perdido os pais justamente durante uma excursão escolar.

Desde a partida, ele parecia desanimado. No tempo livre do primeiro dia, entre os amigos, não falou quase nada.

Yoshimine ficou preocupado, imaginando que ele estivesse triste por se lembrar do que tinha acontecido, mas, como estavam sempre em grupos grandes, não teve oportunidade de tocar no assunto.

Só depois do jantar, enquanto os alunos perambulavam pela loja de suvenires do hotel, conseguiu uma chance.

— Está tudo bem?

Miyawaki tinha um ar distante. Olhou para o amigo, mas logo baixou os olhos novamente e murmurou, absorto:

— Eu estava pensando se conseguiria ir até Kogura.

Kogura fica a cerca de vinte minutos de Fukuoka, de trem-bala. Conseguir, ele conseguiria. Isto é, se não estivessem bem no meio de uma excursão.

Os professores mantinham uma rede de vigilância constante para evitar que os alunos aprontassem. Cada minuto era contabilizado na programação diária, e à noite, depois que todos voltavam para o hotel, era terminantemente proibido sair. Havia sempre algum professor de sentinela no lobby.

Disseram que se alguém tentasse escapar do hotel para ir passear à noite poderia até ser mandado de volta para casa mais cedo.

Ou seja: normalmente, a resposta seria "não". Porém, Yoshimine tinha certeza de que Miyawaki, um menino tão obediente e bem-comportado, não estaria pensando naquilo sem um bom motivo.

— Por que está perguntando isso? — indagou Yoshimine.

Miyawaki respondeu com o mesmo ar distante:

— É que tem um parente distante meu que mora em Kogura. Ele ficou com o gato que eu tinha quando criança.

Segundo Miyawaki, era seu bichinho de estimação quando os pais ainda eram vivos. Quando eles morreram, o garoto foi morar com a tia e teve que se separar do gato, que foi acolhido pelo parente distante.

— Minha tia está sempre tão ocupada que não tenho coragem de pedir para ela me levar até Kogura só para ver um gato. Meu plano era escapar durante o horário livre da tarde, mas...

Eles tinham só uma hora livre e, para complicar, a área onde podiam circular era rigidamente controlada. Bastava ameaçar se afastar da área para ouvir algum professor perguntar "aonde achavam que estavam indo".

— Você quer tanto assim ver esse gato?

— Ele era parte da família, para mim — respondeu Miyawaki, com a voz embargada.

Yoshimine compreendeu e cruzou os braços. Nunca tivera um animal de estimação. Também nunca prestara muita atenção em gatos.

Porém, aquele era o gato com quem Satoru Miyawaki brincava junto com os pais. Era a última criatura viva com quem tivera momentos felizes junto deles, antes de morrerem. Yoshimine entendia o valor disso.

Pois bem.

Era apenas um gato, mas não era apenas um gato. Para seu amigo, era único no mundo. Por ele, seria uma opção tentar fugir daquela excursão de disciplina militar? É claro que sim.

— Vamos lá.

Foi a vez de Miyawaki balbuciar um "mas..." preocupado.

— A gente tem três horas até eles passarem nos quartos apagando as luzes. Você tem o endereço do seu parente?

Miyawaki disse que era pertinho da estação de Kogura.

— Se a gente abrir mão do banho, dá tempo. Quer dizer, do banho e do dinheiro que trouxemos para a viagem.

Uma passagem de ida e volta para Kogura certamente custaria alguns milhares de ienes.

— Não vamos contar para ninguém, porque se a gente contar e depois tudo der errado, eles vão virar cúmplices. A gente só diz que vai se atrasar um pouco e pede para ficar por último na fila do banho.

— Se eu for, vou sozinho. Não quero envolver ninguém nisso.

— Deixa de bobagem! — retrucou Yoshimine, com um tapinha nas costas do amigo.

Miyawaki sorriu com os olhos marejados e murmurou um agradecimento.

Não era permitido levar roupas comuns para a viagem, só os uniformes da escola, então a única outra opção de traje que eles tinham para a fuga seria o pijama. Como os dois dormiam de moletom, decidiram-se pela segunda opção. Era mais discreto que o uniforme.

Quando chegou a vez deles na ordem do banho, fingiram estar atrapalhados se arrumando e disseram aos colegas de quarto que fossem na frente.

Esperaram três minutos e saíram de seus quartos. Descartaram de imediato a entrada principal, onde sempre havia algum professor de guarda, e seguiram para a saída de emergência, que já tinham localizado. Porém, chegando lá, viram que a maçaneta da porta corta-fogo tinha um lacre de plástico, ou seja, ficaria claro se alguém abrisse a porta. Se algum professor visse o lacre rompido, logo fariam uma chamada.

— E agora? — disse Miyawaki, aflito. — Aposto que os professores verificam essas portas quando fazem a ronda.

Yoshimine o arrastou para dentro do elevador.

— Vamos subir! Se a gente quebrar o lacre em outro andar, eles não vão saber quem foi!

Os alunos ocupavam quartos próximos uns dos outros, para isolar os jovens barulhentos dos outros hóspedes. Portanto, se quebrassem o lacre em outro andar, ninguém repararia tão cedo.

Os quartos do hotel começavam no quinto andar. Os meninos sabiam que os alunos da excursão ocupavam o quinto, sexto e sétimo andares, então foram até o oitavo. Levaram um susto ao descobrir como o restante do hotel era silencioso.

— Vamos lá!

Quebraram o lacre de segurança, empurraram a pesada porta corta-fogo e encontraram uma escada gélida, com o piso coberto de linóleo, por onde desceram.

Chegando ao térreo, viram que a escada dava para a porta de serviço. Seguiram em frente assim mesmo, fazendo-se de desentendidos, mas uma voz os impediu:

— Ei, vocês aí!

Os dois se viraram, assustados. Era um funcionário do hotel.

— Vocês são alunos da excursão, não são?

Ah, não! Pelo jeito, os professores tinham pedido que os funcionários ajudassem a vigiar os alunos.

— Não, senhor! — respondeu Yoshimine, sem pestanejar.

Tentaram ignorar o homem e continuar em direção à porta, mas ele correu no encalço dos dois.

— Parem aí!

— Corre! — gritou Yoshimine, e se pôs a fugir.

Miyawaki o imitou.

— Alguém segure esses meninos!

O pedido do funcionário fez os obstáculos se multiplicarem imediatamente. Eles se esquivaram de um lado para o outro, até se verem justamente na entrada principal.

Quem estava vigiando a porta era a professora que fora responsável pela turma deles no segundo ano, aquela que gostava de se compadecer dos alunos.

— Yoshimine! Miyawaki! O que estão fazendo?

Talvez Miyawaki tivesse desistido naquele momento, mas Yoshimine gritou "Corre! Nem olha pra onde!", e o amigo disparou junto com ele. Os dois passaram rente à bela professora, que ainda abriu os braços para tentar segurá-los, mas eles se enfiaram entre os transeuntes que passavam na rua.

Não conseguiram conter o riso. No fim das contas, poderiam ter ido direto à porta principal.

Já tinham despistado seus perseguidores e seguiam trotando pela rua quando Miyawaki se virou:

— Olha, se perguntarem, diga que eu fugi porque queria ir passear de noite, tá?

— Pode deixar.

Levaram vinte minutos para chegar à estação de Hakata, pedindo informações pelo caminho e se perdendo pela cidade desconhecida.

Quando estavam no guichê, tentando comprar as passagens para Kogura...

— Seus moleques! — ecoou uma voz rouca pela estação.

Era o orientador e professor de educação física.

Eles dispararam, tentando fugir para longe do guichê, mas o professor agarrou Yoshimine pela manga do moletom. Enquanto ele tentava se desvencilhar, outros professores pegaram Miyawaki.

Fim da linha.

— Do Yoshimine eu até esperava algo assim, mas você, Satoru Miyawaki? Caiu na dele, foi?

Era essa, basicamente, a imagem que tinham dos dois na escola.

Como Yoshimine ficou sabendo depois, os professores tinham seguido direto para a estação mais próxima do hotel, para impedir os alunos caso tivessem a intenção de ir mais longe, o que complicaria mais a situação.

Os dois acharam que era melhor se misturar à multidão, quando na verdade o melhor teria sido pegar um táxi e chegar à estação o mais rápido possível. Lamentaram o erro, mas de nada adiantava chorar pelo leite derramado.

Foram levados para o quarto onde os professores estavam hospedados e levaram um sermão daqueles.

— Aonde é que vocês pretendiam ir, hein?

Nenhum dos dois sabia como responder ao interrogatório, pois não tinham acertado nada de antemão. Agora tentavam combinar, com olhares, como poderiam se safar e quem deveria falar antes.

— Miyawaki — interviu a professora piedosa —, vir na excursão foi muito doloroso para você?

Ai, deixa disso. Por favor. Não me venha com alguma teoria psicológica, nem tente absolver Miyawaki com essa desculpa. É o que ele mais odeia.

— Não é isso. — O garoto se esforçou para manter a voz calma, mas seu rosto empalideceu. — Eu só queria ir passear pela cidade de noite. De verdade.

— Não minta, Satoru Miyawaki. Isso não é do seu feitio...

Yoshimine teve que conter o riso. *Professora, o que você acha que sabe sobre o Miyawaki, hein?*

Vamos fingir que fui eu quem quis sair à noite. Afinal, Miyawaki não quer que ninguém descubra sobre a história do gato.

— Miyawaki, tudo bem — disse ele. — Pode deixar.

Os olhos de todos os professores se dirigiram a Yoshimine, imediatamente.

— Professora, fui eu. É que eu queria muito experimentar aquele lámen de Nagahama, que é famoso. A gente estava perguntando na estação como chegar lá.

Olhe pra mim, professora. Outra pessoa pra você ter dó, bem aqui.

— Há muito tempo, eu comi lámen com meus pais numa barraca de rua lá no bairro de Tenjin. Foi antes de eles se separarem... Quando cheguei a Fukuoka, me lembrei disso e fiquei com saudades dos meus pais. Aí o Miyawaki foi comigo.

Divórcio não tem o mesmo peso que morte, mas ambos os meninos tinham sido separados dos pais contra sua vontade. Era um motivo bom o suficiente: dois amigos que compartilhavam a mesma dor, apoiando um ao outro.

Você gosta desse tipo de história, não é, professora?

— Yoshimine... — começou Miyawaki.

— Tudo bem — interrompeu o amigo.

Tá tudo bem, fica na sua. A não ser que você queira que esse gato, tão importante para você, vire alvo dessa compaixão barata.

Os professores não disseram mais nada, com expressões aflitas. Não podiam mais continuar com o sermão e claramente não sabiam como proceder.

— Entendo como você se sente, mas regras são regras. Vocês não podem se comportar assim durante uma excursão, seja qual for o motivo. — Foi o professor de educação física quem disse isso, com uma careta de desconforto. Aquilo que era professor íntegro!

Depois disso, só restou aos meninos baixar a cabeça e pedir desculpas. Os professores ligaram para as respectivas responsáveis, e, como castigo e exemplo para os outros alunos, eles foram obrigados a ficar no corredor, sentados sobre os joelhos em posição formal, até a meia-noite.

Assim que voltou da viagem, Yoshimine fez um pedido à avó.

— Por favor — insistiu ele. — Por tudo que há de mais sagrado.

Queria que ela ligasse para a tia de Miyawaki e se desculpasse. Que dissesse que a culpa tinha sido toda dele. A avó sabia muito bem que ele nunca tinha comido lámen nenhum em Tenjin com os pais, mas não o questionou e fez o que ele pedia.

— Sinto muito, soube que Satoru-chan levou uma bronca por causa do meu neto...

A tia de Miyawaki ficou constrangida e disse que ela é que deveria pedir desculpas.

— Satoru disse que Yoshimine queria desistir e que foi ele quem o convenceu a ir.

Então essa era a história que Miyawaki tinha inventado, do lado de lá.

— Obrigado, vó.

— Não tem de quê. — A senhora sorriu. — Eu sei que vocês não iam quebrar as regras desse jeito se não tivessem um bom motivo.

Um leve nó se formou na garganta de Yoshimine. Ele amaria a vida inteira aqueles pais indiferentes que tinha só por terem lhe dado uma avó tão sensível e carinhosa.

Essa avó tão querida já havia falecido, quase dez anos antes. Tivera uma vida longa, e se podia dizer que havia chegado sua hora.

Miyawaki mudou mais uma vez de cidade logo após a formatura do ginásio, mas os dois sempre mantiveram contato. Quando ele soube do falecimento da velha senhora, foi à cidade para o funeral. Yoshimine pediu desculpas pelo transtorno.

— Posso considerar que aqui é a casa da minha própria avó, não é? — retrucou Miyawaki, sorrindo.

Yoshimine sorriu e conteve as lágrimas que enchiam seus olhos.

O pai, que também viera, naturalmente não tinha nenhum interesse em herdar a profissão de agricultor. Ele pretendia deixar a terra e a casa aos cuidados de familiares que moravam perto dali. Desde que a avó ficara fraca demais para trabalhar, os campos já estavam aos cuidados de parentes, então parecia ser o rumo natural das coisas. Entretanto, Yoshimine anunciou que gostaria de herdar as terras. "Deixa disso!", protestaram os parentes. "Trabalhando com a terra você não vai ganhar dinheiro nem se casar", mas o pai, indiferente como sempre, deixou o filho fazer o que quisesse.

— Bom, como eles previram, ainda não tenho nenhuma noiva em vista.

— Eu, se fosse mulher, não te deixava em paz.

— Se souber de alguma que pense como você, me apresente!

Dizendo isso, Yoshimine se serviu de uma dose de destilado *shochu*. No final da tarde, tinha trabalhado por mais algum tempo nas plantações, e agora saboreava uma bebida para encerrar a noite.

Miyawaki o acompanhara apenas na cerveja e depois passou para o chá de cevada. Nunca fora muito bom de copo e, ao que parecia, estava ainda mais fraco.

— Amanhã, antes de partir, posso visitar o túmulo da sua avó?

— Ah, vovó vai ficar contente com isso.

O túmulo ficava em uma colina atrás da casa, a menos de cinco minutos de caminhonete.

Yoshimine gostaria de seguir conversando noite adentro, para aproveitar a visita do velho amigo, mas o hábito de dormir e acordar cedo já estava gravado em suas entranhas — não aguentou nem até a meia-noite.

*

Satoru e Yoshimine saíram cedinho. Foram com a caminhonete, não com a van prata.

Devem ter ido visitar o túmulo da avó, como combinaram no dia anterior.

Bom, nós também precisamos finalizar as atividades por aqui. Ei, caramelo!

Você se lembra do que aprendeu ontem? Vamos recapitular a etiqueta da luta.

Franzi o focinho e abaixei as orelhas para trás. **E aí, o que você faz ao ver um gato bravo?**

O caramelo também franziu o focinho, abaixou as orelhas, arqueou o corpo e arrepiou todos os pelos das costas e do rabo.

Isso aí, muito bem!

O.k., agora é o último teste. Quando eu fizer cara de bravo, você faz sua pose de luta. Quero ver você deixar Yoshimine orgulhoso. E preste atenção: o teste continua até a gente ir embora, viu? Não vá relaxar.

Calculei bem a hora em que eles iam entrar na sala e mandei o caramelo fazer sua pose.

Ele arrepiou todos os pelos do corpo, ficou parecendo um novelo de lã prestes a explodir. Estava dando o melhor de si para impressionar Yoshimine.

— Ué! — exclamou Satoru, perplexo. — Ontem vocês estavam se dando tão bem! O que houve, assim de repente?

Sei lá! Filhotes são muito imprevisíveis, ele deve ter mudado de ideia.

— Será que depois de uma noite ele esqueceu quem é Nana? — considerou Yoshimine, também intrigado. — Bom, vamos ver o que acontece. Vai ver ele só acordou com o pé esquerdo.

Satoru pretendia partir durante a manhã, mas acabou ficando até depois do almoço. Tentou apartar nossa luta de várias formas, chegou até a nos separar por algum tempo em dois cômodos.

Sinto muito, mas não vai adiantar. O teste do caramelo só termina quando a gente for embora. É só eu dar o sinal que o pequeno arma todo o corpo para a batalha. Tem bastante disposição, para um filhote. Excelente. Assim, até que há esperanças. Apesar de ele deixar um pouco a desejar na parte da caça.

— Não quer tentar deixar Nana mesmo assim? Quem sabe daqui a uns dias eles se entendem — sugeriu Yoshimine, ao voltar do trabalho no final da manhã.

Mas Satoru estava desanimado.

— Nana também está bravo, nem quer sair da caixa... Acho que não vai dar certo. É uma pena, mas seria maldade deixar os dois juntos, se eles não estão se dando bem.

— Tem certeza? Que pena. Um gato tão bom.

Yoshimine, não me leve a mal, eu não tenho nada contra você. É só que eu não pretendo deixar aquela van prata tão cedo.

Satoru demorou muito para se convencer, mas, vendo pela carinha furiosa do caramelo que ele não estava para brincadeira, acabou se conformando. Pegou minha caixa e voltou para a van.

— É uma pena, de verdade.

— Você diz isso da boca pra fora, mas estou vendo sua cara de contente, viu? — brincou Yoshimine.

— É, bom... — balbuciou Satoru. O amigo tinha acertado em cheio. — A verdade é que não seria fácil me despedir do Nana.

— Por que tem que se desfazer desse gato, se gosta tanto assim dele?

Opa! Direto ao ponto, hein? A mesma abordagem daquela hora em que me arrancou da caixa pelo cangote.

Satoru não respondeu, envergonhado. Yoshimine não insistiu.

— Bom, deixa pra lá. Mas se estiver precisando de alguma coisa, pode ficar aqui. Não tenho mulher nem ganho dinheiro, mas em casa de agricultor nunca falta o que comer, ouviu?

— Mas Chatran e Nana...

— Não é como se eles fossem se matar. Se for o caso, a gente força os dois a viver juntos. Que história é essa de "se dar bem" ou não? São dois bichos.

— Não fale bobagem. Animais chegam a perder o pelo por estresse, sabia?

— E se não tiver jeito, você pode ficar numa casa vazia da vila. Aqui tem muitas casas onde você pode morar de graça, só pra não ficarem vazias, abandonadas. Estão fazendo de tudo pra atrair mais jovens pra cá.

Satoru agradeceu, rindo, mas tinha a voz um pouco embargada.

— Pode deixar. Se eu começar a passar fome, venho pra cá!

— Vou estar esperando.

Antes de entrar na van, Satoru apertou com força a mão do amigo.

— Obrigado. Fiquei muito feliz de visitar o túmulo da sua avó.

— Eu é que agradeço. Ela deve ter ficado contente.

— Adeus! Se cuida. E cuide do Chatran também.

Quando já ia dar a partida, Satoru murmurou um "Ah!" e abriu a janela.

— Eu já te contei o nome do gato que eu tinha quando era criança?

— Não.

— Era Hachi. Porque ele também tinha essas manchas na testa, igualzinho ao Nana.

— E Nana tem esse nome por causa do rabo na forma de 7? — Yoshimine deixou escapar uma risada. — Você disse que "Chatran" era clichê, mas os nomes que você dá são bem literais, hein?

Um aposta no óbvio, o outro fica nos clichês... Nenhum se salva, viu?

Com um toque curto da buzina, Satoru deixou a casa de Yoshimine para trás.

— Que feio, Nana, brigar com um filhote daquele tamanho!

Pff. Pensou que fosse conseguir me largar lá, é? Vai nessa.

— Mas, pra falar a verdade, fiquei um pouco aliviado por você voltar comigo.

Ah, jura?

— Vamos dar uma passadinha na praia no caminho de volta como a gente combinou?

Boa! Será que vou conseguir pegar muitos frutos do mar, como os do Premium Blend Peito de Frango & Consomê de Frutos do Mar?

Satoru parou para fazer compras em uma loja de conveniência e aproveitou para perguntar qual era o melhor caminho para ver o mar.

— Disseram que tem uma praia rochosa aqui perto — ele me contou, ao voltar à van. — Vamos lá.

E assim a van prata seguiu para o mar. Fiquei com preguiça de entrar na caixa, então deixei que Satoru me carregasse no colo até a praia.

Ele foi com cuidado pela descida íngreme.

Mas...

— Ei, Nana! Por que você está me unhando desse jeito? Isso dói!

Ai, ai, ai, ai, ai... Como assim, "por quê"?

E esse barulho, que parece que a terra está rugindo? Está ouvindo isso? Que estrondo assustador é esse? Nunca ouvi um negócio desses!

Então o mar se abriu diante dos meus olhos. Era uma quantidade aterradora de água, investindo na nossa direção sem parar.

— Olha só, Nana, o mar! Está vendo as ondas? Legal, né?

Legal? O que é que tem de legal aqui? Por acaso você acha legal essa quantidade infinita de água, assustadoramente forte, se mexendo sem parar nesse moto perpétuo? Mas vocês, humanos, são muito sossegados, mesmo! Não sei o que acontece com as pessoas se elas caírem nisso aí, mas se for um gato, ele morre!

— Vamos até lá ver as ondas?

Mas

nem

PENSAR!!!!!!!

— Que isso, Nana? Ai! Está machucando, já disse!

Eu me desvencilhei dos braços de Satoru e, enlouquecido, escalei em direção ao lugar mais alto possível. Ou seja, a cabeça dele.

— Você está me unhando! Nana, pare de arranhar minha testa!

Não adiantou, este posto não me deu a segurança necessária.

Iááá! Pulei para o chão e desembestei na direção oposta às ondas, sem olhar para trás.

— Ah! Nana!

Galguei num piscar de olhos um barranco próximo e me encarapitei na raiz de um pinheiro que se projetava da superfície de pedra, na diagonal. Pronto! Verificação de segurança concluída com sucesso!

— Ai, não, olha onde você foi se meter... Desce logo daí!

Não desço! E se uma onda me levar? Eu morro!

— Nana, já falei! Desce de uma vez, eu não consigo subir nesse barranco!

No fim, Satoru escalou o barranco a duras penas e me resgatou.

E assim, com minha primeira visita ao mar, aprendi uma lição:

As ondas do mar
são lindas de ver.
Desde que estejam
bem longe de você!

Frutos do mar não devem ser colhidos pelos próprios gatos. Basta comer os que os humanos nos oferecem.

— Minha cabeça ficou toda arranhada! Vai arder horrores quando eu passar shampoo.

Satoru passou um tempo resmungando, mas depois riu sozinho.

— Eu não imaginei que você fosse ficar tão apavorado com o mar. Valeu a pena só pra conhecer esse seu lado inédito!

Eu não tenho nada contra o mar, desde que ele esteja bem longe de mim.

A van corria agradavelmente pela estrada próxima à costa. Ergui o rabo satisfeito, observando a superfície verde-esmeralda da água reluzindo ao sol.

Se a gente não tivesse saído para esta viagem, eu teria passado o resto da vida sem nunca ver o mar de perto. Meu mundo se limitava a uma pequena área ao redor do apartamento de Satoru. Como território de um gato, até que não era ruim, mas, comparado com a grandeza deste mundo, agora vejo que era pequeno demais.

Neste mundo, as paisagens que um gato jamais verá são muito maiores do que tudo o que ele chega a conhecer.

Ei, Satoru.

Desde que a gente partiu, eu já conheci duas cidades onde você cresceu. Já conheci uma vila de agricultores. Conheci o mar.

O que mais a gente vai ver até o fim desta viagem?

RELATO 3

Shusuke Sugi e Chikako Sakita

"Que tal relaxar em uma pousada com vista para o monte Fuji, junto com seu bichinho de estimação?"

Cerca de três anos já haviam se passado desde que Shusuke Sugi e a esposa, Chikako, abriram uma pousada com esse slogan.

A oportunidade surgiu quando, por causa da recessão, a empresa onde ele trabalhava fez um programa de demissão voluntária. A família de Chikako era dona de um sítio de fruticultura, e justo naquela época havia uma pousada ao lado à venda, por uma pechincha. Então, o casal comprou a pousada, já mobiliada, para reabri-la. Pensaram em oferecer descontos aos hóspedes que quisessem visitar o pomar para colher frutas no pé, no esquema "colha e pague". Os sogros também se dispuseram a intermediar e anunciar a seus visitantes que poderiam se hospedar na vizinhança. Encorajados por isso, abriram o negócio.

No fim das contas, o maior atrativo da pousada foi a política *pet friendly*.

E o mérito da ideia era todo de Chikako.

Ela organizou os dois andares da pousada e o pequeno chalé que havia nos fundos do terreno de forma que os hóspedes com cães pudessem ficar separados dos que tinham gato. Em suas respectivas áreas, os bichinhos podiam relaxar livremente, sem coleiras nem caixas, desde que não se desentendessem com os outros animais de sua categoria. Mas aí cabia aos donos mediar a relação entre os animais de cada grupo.

Naquela região, eram poucas as pousadas *pet friendly*. E as poucas que havia aceitavam só cachorros. Alguns hotéis de maior porte até permitiam os dois tipos de animais, mas em quase todos eles os andares eram compartilhados e, portanto, o uso de coleiras e guias era obrigatório.

— Com certeza existem pessoas que gostariam de viajar com seus gatos — afirmou Chikako, quando ainda discutiam a ideia do negócio. — Seria legal se tivesse um lugar para esse público, onde os gatos ficassem à vontade.

Era uma afirmação que só poderia ser feita por um apaixonado por gatos. Sugi, que preferia os cães, duvidou um pouco da teoria da esposa à época, mas agora, depois de três anos, precisava reconhecer que ela tinha sido muito perceptiva.

Era uma área relativamente famosa como destino turístico, com muitos produtores de frutas, como a família de Chikako, e algumas vinícolas. Mas não era fácil encontrar por ali um lugar para se hospedar tranquilamente com um gato. Graças ao boca a boca e aos hóspedes fiéis que iam conquistando, os donos de gatos se tornaram mais numerosos que os donos de cachorros.

Chikako recebia a todos sorridente, feliz por conhecer vários gatos diferentes, mas estava particularmente feliz com o hóspede que chegaria naquele dia.

Ela preparou o quarto mais ensolarado que tinham, uma unidade dupla no segundo andar, e desceu as escadas cantarolando, carregando os lençóis usados.

— Como você está animada!

Era para ser só um comentário casual, mas o marido percebeu, aflito, que soara estranhamente magoado. Chikako se virou, intrigada.

— Você não está? É a primeira vez que Miyawaki vem aqui com um gato!

— Estou animado também. Só estou pensando se o gato dele vai se dar bem com os outros.

A pousada tinha duas mascotes: um cão da raça Kai e uma gata tigrada de raça mista. O cachorro tinha três anos e se chamava Toramaru, e a gata tigrada, Momo, já tinha doze anos. O nome dele vinha da palavra "tigre", *tora*, por causa da pelagem rajada característica dos cães da raça Kai. Já ela tinha sido batizada em referência aos pêssegos, *momo*, a principal fruta cultivada pela família de Chikako.

— Você se preocupa demais — comentou Chikako. — Não vai ter problema nenhum, nossos meninos já estão acostumados com os hóspedes.

Mesmo diante do bom humor da esposa, ele insistiu:

— Sem contar que Miyawaki vem para deixar o gato dele. Não deve estar muito contente com o animal.

Satoru Miyawaki, amigo dos dois desde os tempos de ensino médio, tinha escrito pedindo que adotassem seu gato.

Foi Sugi quem recebeu o e-mail em que o amigo explicava que era um gato muito querido, mas que, infelizmente, teria que se desfazer dele, então estava procurando um novo dono.

Miyawaki não dizia nada sobre o motivo, mas ele se lembrou de ter visto no jornal que certo grupo empresarial estava fazendo uma grande demissão em massa, então achou melhor não perguntar nada. Se sua memória não falhava, a empresa em que Miyawaki trabalhava era afiliada ao grupo.

Até um grupo desse tamanho está tendo que fazer demissões! Então era óbvio que aquela empresa onde eu trabalhava não ia resistir. Apesar de ser uma companhia pequena e local, consegui sair em um bom momento. Pensando por esse lado, talvez eu tenha tido sorte.

— Mas se a gente ficar com ele, podemos devolver a qualquer hora — disse Chikako, sorrindo. — Estou considerando que vamos só abrigar esse gato por um tempo, enquanto for preciso. E vamos cuidar muito bem dele, é claro.

"Podemos devolver a qualquer hora. Vamos só abrigá-lo por um tempo." Ele não tinha pensado nessa possibilidade. Chikako era sempre muito otimista. Diferentemente do marido, sempre tentava ver o lado bom das coisas. Ele podia até disfarçar e dizer que era apenas um sujeito sério, mas a verdade é que tendia à negatividade.

Os dois cresceram juntos, pois os pais eram amigos. E desde pequeno ele se sentira atraído por aquela postura totalmente oposta à sua.

— Ele deve ter algum problema realmente incontornável pra se desfazer do gato assim de repente — continuou Chikako. — Mas, conhecendo o Miyawaki, algum dia ele vem buscar o bichinho de volta, com certeza.

Pelo jeito, ela acreditava cegamente que o amor de Satoru Miyawaki pelo gato superaria todas as dificuldades. Os dois sempre compartilharam o gosto por gatos.

Chikako levou os lençóis para a lavanderia.

— Licença, Momo.

A gata estava em cima da máquina de lavar e parecia dormir.

— O gato do Miyawaki se chama Nana, tá? Seja boazinha com ele! — cantarolou Chikako para a gata. Então se lembrou de avisar o marido: — Ah, é! Querido, não se esqueça de avisar Tora!

Os dois gostavam igualmente de seus dois animais, mas com o tempo a responsabilidade de cada um tinha se estabelecido. Chikako, que tinha certa preferência por gatos, cuidava de Momo, e Sugi, que pendia mais para os cachorros, cuidava de Toramaru.

E, segundo a regra estabelecida por Chikako, era preciso informar aos animais sempre que havia alguma novidade na casa.

Sugi calçou as sandálias na porta de casa e saiu para o quintal. Durante o dia, quando o tempo estava bom, Toramaru ficava lá fora, em uma área cercada especialmente para ele. Tinha também uma casinha feita pelo sogro, que era um marceneiro habilidoso.

— Toraaa!

Ao ouvir o chamado, Toramaru veio a galope, abanando o rabo enrolado. Ele pulava tão alto que parecia capaz de saltar o cercado. Tanto é que, quando chegavam novos hóspedes, prendiam o cão com a correia à casinha. O especialista da raça Kai de quem ganharam Toramaru contou que havia dois tipos de cães dessa raça: os mais esbeltos, apropriados para caçar cervos, e os mais parrudos, criados para caçar javalis. Toramaru era um genuíno exemplar da linhagem caçadora de veados.

Naqueles dois dias, o único hóspede seria Miyawaki, então não era preciso prender Tora na correia.

— Hoje, no fim da tarde, vai chegar o Satoru Miyawaki. Aquele nosso amigo de quem eu sempre falo, sabe?

Criavam Toramaru desde que abriram a pousada, três anos antes. Mas Miyawaki foi transferido para uma função muito exigente no trabalho justo no mesmo período, então nunca tinha conseguido conhecer o lugar. Sugi se encontrava com ele ocasionalmente, pois às vezes ia a Tóquio para comprar ingredientes no atacado ou tomar outras providências, mas Chikako não o via fazia três anos, e Toramaru ainda não o conhecia.

Sugi achava que Miyawaki ia bem na empresa, já que estava sempre tão atarefado. Pelo jeito, o corte de pessoal devia levar em conta vários fatores.

Ele afagou vigorosamente a cabeça de Toramaru, que soltou um grunhido de satisfação. O maior prazer de ter um cachorro era poder fazer aquele tipo de carinho, mais bronco. Se tentasse fazer o mesmo com Momo, levaria uma unhada no ato.

— Seja bonzinho com ele, hein? Por favor.

Toramaru olhou no fundo dos olhos do dono e grunhiu mais uma vez.

*

Hoje não está tocando aquela música das pombas voando da cartola.

Em vez disso, estamos ouvindo o rádio. Talvez seja para dar um descanso ao leitor de CD. Já fazia algum tempo que um homem de certa idade, com voz elegante, elogiava um livro. Parece que ele era ator.

O sujeito tinha uma voz elegante, mas falava com um entusiasmo bastante informal, cheio de termos divertidos. Até para mim, um mero gato, era agradável ouvir, porque ele realmente devia adorar livros.

Bom, mas por mais legais que fossem aqueles tais livros, eu não sei ler. Como já expliquei, a maioria dos animais é poliglota quando se trata da compreensão oral, mas a língua escrita excede nossas capacidades. A escrita e a leitura são uma forma de comunicação exclusiva aos humanos.

Quando está em casa, Satoru passa muito mais tempo lendo do que vendo televisão. Ele até comentou hoje: "Puxa, se é recomendação do Kodama, acho que vou ler". Às vezes, enquanto vira as páginas de um livro, seus olhos se enchem de lágrimas. Ele fica com vergonha se eu o encaro muito nessas horas. "Não fique me olhando!"

O programa do homem que adorava livros acabou e pouco depois começou uma música que parecia uma canção de ninar.

Com a cabeça acima das nuvens
Contemplando as montanhas aos seus pés

De vez em quando eu gosto desse tipo de cantiga em coro, bem tranquila. Só que dá um soninho...

Ele ouve os trovões ressoando aos seus pés

Uau, é alto mesmo esse negócio, hein?

O Fuji é a montanha mais alta do Japão

Ah, Fuji? Enquanto soava a última estrofe, eu me espichei na janela da van.

Já fazia algum tempo que uma montanha triangular se erguia grandiosa ao lado da estrada.

— Ah! Você entendeu, Nana?

Eu já disse que vocês, humanos, subestimam nossas capacidades linguísticas, não disse? Ficam se achando, só porque sabem ler e escrever umas coisinhas aí.

— Isso mesmo, é a música do monte Fuji. Tocou bem na hora!

Quando essa montanha triangular, de base larga e pesada, apareceu pela primeira vez perto da estrada, Satoru me explicou que era o monte Fuji.

Nas fotos e na televisão, ele só parecia um triângulo bidimensional, mas ao vivo tinha uma força impressionante, parece que está vindo para cima da gente.

Satoru falou várias coisas sobre a montanha: que seu cume é o mais alto do Japão, com altitude de 3776 metros em relação ao nível do mar (ele me ensinou até o trocadilho que usavam na escola para decorar essa altitude), e que, apesar de haver várias outras desse tamanho no mundo, essa é rara por ser uma montanha solitária e não parte de uma cordilheira. Mas, falando como gato, não me importo muito com essas coisas, não.

Não é preciso nenhuma explicação muito elaborada para entender por que essa montanha é extraordinária — basta olhar para ela. Dá para entender por que fazem até músicas sobre isso.

Um negócio desses a gente tem mesmo que ver ao vivo. Quem conhece só pela televisão ou por fotos vai ficar sempre achando que não passa de um triângulo bidimensional. Para mim, o monte Fuji não passava disso, até hoje.

Entendo que só o fato de ele ser grande já tem seu valor. Assim como um gato pode ter uma vida mais fácil só por ser grande.

Mas não é só isso. É realmente um negócio incrível.

Quantos gatos do Japão já viram o monte Fuji? Não devem ser muitos, fora os que moram aqui por perto.

Essa nossa van prata é um carro mágico! Sempre que entro aqui, vou parar em algum lugar que nunca vi.

Somos o humano viajante e o gato viajante mais incríveis do mundo. Com certeza.

A van se afastou das estradas maiores e entrou em um bosque tranquilo.

Nos galhos das árvores que se espalhavam dos dois lados da estrada pendiam uns negócios parecidos com sacolinhas brancas de papel. Satoru disse que são pêssegos embrulhados. E que esse embrulho serve para várias coisas: para espantar os insetos, para as frutas amadurecerem melhor...

Pegamos uma diagonal em uma bifurcação e seguimos por caminhos ainda mais tortuosos. Finalmente, avistei uma construção grande, toda branca.

— Chegamos, Nana!

Então era aquela a pousada. Satoru tinha dito que era de um casal de amigos dele, que aceita animais de estimação e que seríamos só nós dois por dois dias.

Paramos no estacionamento da pousada, que tem vagas para uns dez carros, e um homem que devia ter a idade de Satoru saiu ao nosso encontro.

— Shusuke Sugi!

Satoru acenou enquanto tirava a bagagem do carro. Sugi respondeu com um aceno.

— O que precisa levar? Deixe que eu carrego!

— Como é só uma noite, eu trouxe só Nana e uma muda de roupa.

Subimos a ladeira suave em direção à entrada, o anfitrião carregando a mala e Satoru carregando minha caixa.

— Puxa, é uma bela pousada! Ali é um parquinho pros cachorros?

No meio do caminho havia um cercado espaçoso, com uma casinha de cachorro nos fundos.

— Aproveitando que a gente já tem um cachorro, achamos que seria bom ter um lugar onde eles pudessem ficar soltos.

— É da raça Kai, né? Lembro que você me contou.

Apurei o olfato, mesmo dentro da caixa. É, não há dúvida. Esse odor desagradável só pode ser de cachorro, o eterno rival dos gatos.

Espiando pelas frestas, vi a carranca de um cachorro escuro e rajado nos encarando com ar desafiador.

— Isso! Ele se chama Toramaru.

— E não teria problema ele morar junto com um gato?

— Esqueceu que a gente já tem Momo? Além de um monte de hóspedes que trazem gatos.

— Ah, é. Tem razão.

Satoru me contou que eles tinham uma gata já de certa idade, chamada Momo. Disse que ela tinha o dobro da minha idade. Será que a gente ia se dar bem? Eu ainda estou muito longe da velhice...

— Eeei, Toramaru! Tudo bom? Muito prazer!

Não chama esse cachorro, pô! Fechei a cara dentro da caixa.

— Ué, ele está meio emburrado? — perguntou Satoru.

No mesmo instante, Toramaru veio latindo para cima dele. AU-AU!

Até Satoru, que era sempre tranquilo com animais, se assustou com uma recepção daquelas e cambaleou para trás.

O que é que foi, seu desgraçado? Dentro da caixa, ericei todos os pelos.

Se você vier comprar briga com Satoru, não vou ficar calado, não! Sou um gato de respeito! Se não quiser que eu picote esse seu focinho todo, é melhor pedir desculpas, sua besta!

— Tora!

Sugi ficou muito bravo, mas o bicho louco continuou rosnando desconfiado.

— Nana, está tudo bem, viu? Fique tranquilo aí — disse Satoru, para me acalmar.

Ele sabia muito bem que eu não fugiria de um duelo com aquele cachorro. Tanto é que estava segurando bem firme a portinha da caixa.

— Desculpa, isso nunca aconteceu antes…

— Eu é que peço desculpas. Será que fiz alguma coisa que o irritou?

Naquele momento, uma mulher apareceu correndo.

— O que aconteceu? Tora ficou bravo?

Era uma mulher bonita e vivaz, com um avental na cintura.

— Não foi nada. Há quanto tempo, Chikako! — disse Satoru, acenando para ela.

— Oi, Miyawaki! Sinto muito por isso. Estão todos bem?

— Sim, sim. Eu só levei um susto, porque é raro os animais se irritarem comigo.

Pois é, Satoru é do tipo de humano que não estressa os animais. Costuma ser bem popular com os cachorros que encontra.

É a primeira vez que vejo um ameaçar ele desse jeito indelicado.

— Sinto muito mesmo — repetiu Sugi, e deu mais uma bronca no cachorro.

O bicho abaixou o rabo enrolado. Rá! Toma essa, idiota.

Satoru intercedeu, aflito:

— Tudo bem, tudo bem! Ele é um bom cachorro, está só tentando proteger os donos. Talvez tenha me achado meio suspeito.

Dizendo isso, ele esticou o braço por cima da cerca e afagou a cabeça do cão, que ficou paradinho aproveitando, mas eu sabia muito bem que ele ainda estava ressentido. Experimente mostrar os dentes pra ele mais uma vez! Eu te pego, viu?

A rivalidade entre nós dois eletrizava o ar, mas Satoru me carregou para dentro, interrompendo nosso embate sem me consultar.

Fomos levados a um quarto ensolarado no primeiro andar.

— Depois de deixar a bagagem, venha para a sala! — disse Chikako, sorridente, e desceu a escada.

Bom, vamos dar uma olhada neste quarto.

Soltei a tranca da caixa com a pata e deslizei para fora. Era um quarto bem ajeitadinho, com piso de madeira. Em minha avaliação de gato, não achei nada mau.

— Ah! Oi, Momo.

Ao ouvir isso, me virei para a porta do quarto. Sentada ali, calma e imponente, estava uma gata tigrada. Mesmo os gatos com o dobro da minha idade não perdem a graciosidade.

Muito prazer, cumprimentou Momo, com uma voz digna de uma gata imponente como ela. **Pelo visto, você já travou uma batalha com Toramaru logo ao chegar.**

Dei uma bufadinha de desprezo.

Acontece que esse cachorro não tem modos. Onde já se viu, mostrar os dentes para um humano amigável? Isso demonstra que a educação dele deixa a desejar.

Momo sorriu.

Dê um desconto a ele. Assim como você gosta do seu mestre, ele gosta do dele.

Então ele gosta tanto do mestre que latiu para um *amigo* do mestre? Não faz sentido. Momo deve ter percebido que não engoli a justificativa, pois sorriu novamente.

Perdão. É que talvez nosso mestre seja um pouco mais frágil do que o seu.

É, não faz sentido nenhum. Mas não vou discutir, por respeito aos mais velhos.

*

— Parece que com Momo ele está se entendendo!

Ao chegar à sala de estar, que também servia como lobby da pousada, Satoru Miyawaki apontou para o primeiro andar, sorridente.

— Estão fazendo amizade lá no quarto. Queria conseguir conquistar Toramaru também… Será que ele ficou bravo porque eu estava com um gato?

— Ele já devia estar acostumado com hóspedes que trazem gatos… — comentou Chikako, intrigada.

Ela serviu um chá de ervas colhidas no jardim e perguntou, brincando:

— Querido, você explicou as coisas direitinho para Toramaru?

— Expliquei! — respondeu ele, fazendo bico.

Talvez o tom de voz dele tenha soado um pouco mais ríspido que o necessário. É que a culpa brotava de repente em seu peito.

Quando ele dissera para Toramaru receber bem seu amigo Miyawaki, o cachorro olhara fundo nos seus olhos. E, depois disso, latira para o dono. Por que será?

Será que Tora tinha desconfiado de alguma coisa? Será que o mestre tinha algo a esconder?

— Delicioso — disse Miyawaki ao experimentar o chá.

Todo o rosto de Chikako se abriu em um sorriso.

— Que bom que você gostou! São apenas ervas que eu planto aqui mesmo, mas faz sucesso com os hóspedes. — Ela olhou feio para o marido. — Quando eu servi pra esse cara aí pela primeira vez, ele disse que parecia pasta de dente!

Era um comentário que ele havia deixado escapar uma única vez, logo que se casaram, mas Chikako não esquecia. Miyawaki, em comparação... como ele se saía bem nessas horas! Sugi gostaria de seguir seu exemplo, mas tinha vergonha de fazer elogios assim tão diretos.

— É adocicado. Você coloca alguma coisa?

— Coloco stevia.

— Ah, sim.

— Gosto de conversar com você, Miyawaki, porque você entende dessas coisas!

— Porque comigo não tem jeito, né — resmungou Sugi para si mesmo. — Pois saiba você que a maioria dos homens não se empolga muito com chá.

— Parece que a pousada vai bem, hein, Sugi!

— Sim! Parece que foi uma boa ideia se concentrar nos hóspedes com gatos.

Chikako estufou o peito para dizer:

— Foi ideia minha!

— Sim, sim, o mérito é todo da senhora.

Sugi sabia que era hora de elogiar a esposa.

— E com você, está tudo bem? — perguntou Sugi. — Quer dizer... pra você ter que se desfazer do seu gato assim de repente...

Ele não tinha conseguido perguntar isso por mensagem, então deixou para falar ao vivo.

— Bom, sabe como é...

Miyawaki deu um sorriso desconfortável. Parecia um pouco envelhecido. Será que estava cansado?

— Eu ouvi falar que o conglomerado da sua empresa fez uma demissão em massa bem grande, não foi?

— Fez, sim... Mas também teve umas outras coisas...

Sugi pensou que talvez fosse alguma questão pessoal. Então notou que Chikako lhe fazia um sinal com os olhos e respondeu também com um olhar de "já entendi". Miyawaki não queria falar sobre o assunto.

— Fiquei feliz que vocês aceitaram ficar com Nana. Outras pessoas se ofereceram, e o levei para se conhecerem, mas não deu muito certo.

— Meu amigo, quero deixar claro que vamos apenas abrigar seu gato enquanto você precisar — disse Chikako, endireitando a postura. — Óbvio que vamos cuidar muito bem dele até lá, mas quando as coisas acalmarem, se você achar que consegue ficar com ele de novo, pode vir buscá-lo a qualquer hora.

Miyawaki pareceu sentir um baque no peito. Baixou o rosto e apertou os lábios.

O casal já tinha visto aquela cena, muito tempo antes. Miyawaki, com os lábios apertados, tentando se conter.

Será que vai acontecer a mesma coisa?, pensou Sugi. Mas o amigo ergueu o rosto e sorriu.

— Obrigado. Não quero abusar da boa vontade de vocês, mas fico feliz.

Hoje, Satoru Miyawaki era um amigo em comum do casal, mas o primeiro a se aproximar dele foi Sugi.

No primeiro ano do ensino médio, os três caíram na mesma turma.

Naquela época, já fazia alguns anos que Sugi tinha começado a chamar Chikako pelo seu sobrenome, Sakita. Por serem amigos de infância, ele sempre a chamara de Chikako e ela o chamava de Shu-chan, um apelido carinhoso. Ao crescerem, no entanto, isso virou motivo de zombaria na escola, então ele decidiu parar.

Quando Chikako quis saber por que ele estava usando seu sobrenome, ele pediu que ela também o chamasse pelo sobrenome, Sugi, mas ela, teimosa, ignorou o pedido. Ele se sentia um pouco envergonhado, porém feliz.

Na nova sala, os alunos acabavam formando grupinhos com quem tinha vindo da mesma escola de ensino fundamental, por isso era difícil expandir os círculos de amizade. Miyawaki não estava em nenhuma panelinha. Interagia com vários grupos e com desenvoltura, mas pelo jeito não tinha nenhum colega anterior.

Mais tarde, Sugi soube que Miyawaki tinha acabado de se mudar de outra província, pouco antes de começarem as aulas, por isso é que não conhecia ninguém.

Miyawaki explicou, rindo, que naquele período estava se esforçando ao máximo para fazer amigos.

Foi no dia da primeira prova do trimestre que um acaso aproximou os dois meninos.

Sugi passara a noite inteira estudando. Seu cérebro estava entupido de fórmulas matemáticas e vocabulário de inglês. Ele pedalava devagar a caminho da escola, como se qualquer movimento mais brusco pudesse entornar o caldo de informações e pôr todo o seu esforço a perder.

Foi então que ele reparou em um rosto familiar na rua. Era um menino de sua sala, Satoru Miyawaki. Tinha descido da bicicleta e estava agachado à beira do fosso que acompanhava a rua.

Mais do que uma simples valeta, aquele curso de água que abastecia as plantações era quase um pequeno riacho, ladeado por paredes de concreto da altura de uma criança. Miyawaki olhava, compenetrado, lá para dentro.

Sugi se perguntou o que ele estaria fazendo, mas tinha pressa para chegar à escola, então apenas cumprimentou o colega quando seus olhos se encontraram e seguiu em frente. Mas talvez ficasse chato passar reto daquele jeito... Ele parou a bicicleta logo adiante e se virou para Miyawaki.

— O que você está fazendo?

Ao ouvir sua voz, Miyawaki ergueu o rosto, surpreso. Devia ter achado que o outro ia seguir direto para a escola.

— Estou com um probleminha com uma coisa que encontrei aqui.

Sugi olhou na direção em que o menino apontava e viu, no meio do fosso, um cachorro pequeno, tremendo da cabeça aos pés. O bichinho se mantinha em pé, com esforço, em uma espécie de banco de areia formado pelo acúmulo de cascalho e terra. Os pelos compridos, brancos e marrons, estavam encharcados e grudados ao corpo.

— Um Shih-tzu!

Sugi reconheceu a raça porque na casa de Chikako havia um igual. Na família dela, que tinha um sítio de fruticultura, todos eram grandes fãs de animais. Desde que ele era pequeno, sempre havia na casa da amiga toda sorte de gatos e cachorros, vivendo como mascotes do sítio. Ele tinha muita inveja daquela casa agitada, cheia de animais.

Ele morava no apartamento providenciado pela empresa do pai. Era a típica família de um funcionário de empresa mediano. Para piorar, a mãe era alérgica, então ele só podia ter animais de estimação sem pelos, como peixinhos ou tartarugas. Desde pequeno, sempre quisera ter um cachorro, mas não havia a menor chance de realizar esse desejo. Então, ele supria sua vontade de brincar com cães quando visitava Chikako.

— Ele deve ter caído de algum lugar.

— Deve ser — concordou Miyawaki.

Não havia ali por perto nenhuma escada que levasse para dentro do fosso.

— Pela cara dele, não é um cachorro de rua... Deve ter fugido de alguma casa e se perdido.

O Shih-tzu de Chikako ficava solto durante o dia, fazendo festa para os visitantes que vinham colher frutas nos pés, mas de noite sempre era levado para dentro de casa.

— Não se preocupe, pode ir! — disse Miyawaki.

Mas Sugi tinha que pesar cuidadosamente a situação. Se Chikako descobrisse que ele tinha abandonado um cãozinho perdido, ficaria furiosa.

— Bom, é que fiquei preocupado.

O garoto desceu da bicicleta, olhando as horas no relógio de pulso. Certamente chegaria atrasado, mas, se conseguisse chegar no segundo tempo, ainda poderia fazer a prova.

— Vamos resolver isso rapidinho!

Miyawaki sorriu, alegre.

— Você é um cara legal, Sugi!

Na verdade, ele só estava fazendo isso pensando em Chikako, então ficou sem jeito com o elogio.

— Se a gente entrar no fosso, vamos encharcar totalmente os sapatos...

Não dava para alcançar o banco de areia onde estava o cachorrinho com um pulo de nenhuma das margens. Também não parecia uma boa ideia entrar no fosso descalço, pois era cheio de plantas que escondiam o fundo. E se tivesse um caco de vidro ou algo assim?

Foi quando Sugi reparou que havia uma pilha de tábuas compridas abandonadas ali perto. Restos de um andaime ou coisa do gênero.

— Podemos usar aquilo ali!

Ele correu até a pilha e pegou uma tábua que parecia de bom tamanho.

— Se a gente apoiar isso ao lado do cachorro, na diagonal, pode servir de ponte pra ele sair.

— Boa!

Entretanto, o Shih-tzu não se animou a subir na tábua, nem quando a colocaram bem debaixo do seu focinho. Os dois chamaram o bichinho sem parar, mas foi em vão. Ele só tremia, sem mover nem uma pata.

— Estou achando que ele não enxerga bem... — disse Miyawaki, chateado. — Quando a gente vê de lado, os olhos dele parecem meio embaçados, tá vendo? Talvez esteja ficando com catarata.

É difícil estimar a idade desses cachorrinhos pequenos que têm cara de criança, mas, observando bem, Sugi reparou que a pelagem dele já era um pouco grisalha.

— Não sei como ele chegou inteiro até aqui!

Perto dali havia uma rodovia federal com muito tráfego. Era um milagre que o cão não tivesse sido atropelado. Sem dúvida tinha caído no fosso justamente por não conseguir ver direito aonde ia.

— Eu vou descer lá! Posso ir pela tábua e pegar ele sem me molhar.

Miyawaki pisou na tábua inclinada.

— Ei, cuidado!

A tábua era velha e meio podre. Talvez aguentasse o peso de um cachorro pequeno, mas o de um adolescente?

— Ah! — gritou Miyawaki, perdendo o equilíbrio.

A tábua se partira ao meio, e as duas partes caíram no fosso e atingiram a água com estrépito, lançando respingos para todo lado.

O pequeno Shih-tzu se assustou e disparou para dentro da água, às cegas, latindo como um louco.

— Ei, espere!

Miyawaki, que tinha caído de bunda no meio do fosso, se ergueu como pôde e foi atrás dele, mas o bicho corria a uma velocidade surpreendente para um cachorro idoso e cego, e o barulho que os passos do menino faziam na água só devia assustá-lo mais.

— Vou dar a volta e descer pela frente, aí a gente ataca pelos dois lados. Não deixe ele fugir!

Sugi correu pela calçada e, depois de ultrapassar o Shih-tzu, pulou com tudo lá para dentro.

Ouvindo o estardalhaço na água, o cãozinho parou de correr por um instante, alarmado. Logo depois, disparou de volta na direção de onde viera.

— Lá vai ele! Segura!

Miyawaki se jogou como um goleiro. O Shih-tzu tentou desesperadamente driblá-lo, mas foi agarrado pela pata traseira e, em pânico, mordeu sua mão.

— Aaaaaaiii!!!

— Não larga não, aguenta firme!

Sugi tirou às pressas o blazer do uniforme e o usou para embrulhar o cachorro. Preso nessa trouxa, o bichinho finalmente se acalmou.

— Você está bem?

Miyawaki forçou um sorriso e mostrou a mão direita.

— Acho que não muito…

Apesar do tamanho, o cãozinho era feroz. A mão do menino estava cheia de dentadas, o sangue escorrendo.

— Acho que é melhor a gente ir ao hospital.

Nesse momento, Sugi aceitou que a prova já era.

Entregaram o cachorro em um posto policial perto da rodovia e foram ao hospital. Chegando lá, viram-se novamente em maus lençóis, pois Miyawaki estava sem a carteirinha do plano de saúde, e é claro que o dinheiro que traziam consigo não era suficiente. No fim, Miyawaki só foi atendido após deixar a carteira de identidade na recepção, com a promessa de voltar para recuperá-la depois que pagasse a dívida.

Quando os meninos finalmente chegaram à escola, o segundo tempo já estava chegando ao fim.

Foram até a sala dos professores e explicaram o ocorrido. A história parecia piada, mas os professores acreditaram em tudo. O fato de Miyawaki estar parecendo um rato molhado e ter um curativo enorme na mão deve ter sido convincente.

Os dois não poderiam mais fazer a prova naquele dia, mas os professores marcaram uma segunda chamada. Ainda bem, porque, com toda aquela confusão, o conteúdo que Sugi tinha enfiado na cabeça com tanto esforço já sumira completamente.

— Ei, onde você se meteu? — perguntou Chikako, com tom de irmã mais velha, assim que Sugi entrou na sala.

Ao ouvir a história, ela quis ir ver o cãozinho resgatado, então combinaram de passar no posto policial depois da aula. Miyawaki foi com eles, pois também estava preocupado.

O Shih-tzu, com seus olhos esbranquiçados pela idade, estava preso por uma guia em um canto do posto, ao lado de tigelas com água e comida. Disseram que ainda não havia nenhum sinal do dono.

— Ele é bem velhinho mesmo, não deve enxergar quase nada.

Chikako abanou a mão na frente do cachorro. Como já esperava, ele mal mexeu os olhos.

— Vocês não podem ficar com ele? — Foi um policial de meia idade quem fez a proposta. — Cuidar de cachorros perdidos não é obrigação da polícia, não podemos ficar com ele aqui por muito tempo.

Para um adolescente, era difícil não se revoltar com aquela forma insensível de falar.

— Como assim, "ele não pode ficar aqui"? O que vocês vão fazer com ele?

O policial pensou um pouco antes de responder.

— Hum... Se o dono não aparecer até amanhã, acho que ele vai pro canil.

— Que absurdo! — exclamou Chikako, indignada. — Nesses canis eles logo sacrificam os cachorros! Então, se o dono não aparecer...

— Não tem nada que eu possa fazer — disse o policial.

Miyawaki, que tinha ficado pálido e quieto, cutucou Sugi.

— Você não pode levar pra sua casa?

Em vez de brigar com o policial indiferente, ele estava pensando em alguma solução concreta.

— Não posso, desculpa. Minha mãe é alérgica, então não dá pra ter nenhum bicho com pelos lá em casa. E você?

— Estou na moradia do emprego da minha tia, e lá é proibido ter animais...

Chikako, que continuava a repreender furiosamente o policial, entrou na conversa:

— Pode deixar que eu fico com ele.

— Não tem problema decidir assim do nada? Você não precisa pedir permissão pra sua família? — perguntou Miyawaki, surpreso.

Chikako o encarou irritada, como se estivesse prestes a mandá-lo calar a boca.

— Ué, não dá pra largar o cachorro num lugar desses!

Ela ligou para casa do próprio posto policial. Cerca de uma hora depois, seu pai apareceu de caminhonete para buscá-la. Colocaram a bicicleta da menina no bagageiro e ela foi no banco do passageiro, com o Shih-tzu no colo.

— Tchau! Se quiser visitá-lo, pode passar lá em casa, Miyawaki.

— Legal, obrigado — respondeu Miyawaki, parecendo intimidado pela energia da menina.

Chikako partiu como uma tempestade. Os dois meninos, que ficaram para trás, finalmente respiraram aliviados.

— Nossa, ela é impressionante.

— Não é? Desde pequena ela é assim, vira uma fera quando o assunto são animais.

— Então vocês se conhecem faz tempo?

Pelo jeito, essa informação ainda não tinha chegado até Miyawaki.

— Somos amigos de infância — explicou Sugi.

— Ah! Por isso que ela chama você de Shu-chan!

— É, eu já pedi para ela parar com isso, pega mal...

— Que nada! Deve ser legal ser amigo de infância de uma menina bonita e dedicada que nem ela.

Ao ouvir Miyawaki elogiar a beleza de Chikako daquele jeito tão casual, Sugi sentiu o coração pular. Sim, ela era animada, gentil e bonita. Ele sempre soubera disso. Mas ainda não conseguia dizer isso com naturalidade.

Por algum motivo, ele sentiu que tinha perdido uma batalha.

— Mas será que não vai dar problema na casa dela, adotar um cachorro assim de repente?

— Que nada, todo mundo na casa dela adora animais. Eles sempre têm uns cinco ou seis bichos de estimação, entre gatos e cachorros.

— Puxa, gatos também?

— É. Ela gosta até mais de gatos.

Miyawaki ficou muito alegre ao ouvir isso.

— Eu também adoro gatos! Eu já iria à casa dela só para ver o Shih-tzu, mas vai ser legal também conhecer os gatos!

Sugi sentiu o peito se apertar novamente. Com certeza, Miyawaki e Chikako seriam bons amigos.

Naquela noite, Chikako telefonou para Sugi e o cobriu de elogios por ter salvado o cãozinho, mesmo tendo perdido a prova por isso.

— Aliás, quem foi que o encontrou?

Ele desejou por um momento ter sido o primeiro a ver o cachorro. Entretanto, se tivesse sido ele, provavelmente o teria ignorado. No máximo, passaria lá na volta da escola.

— Hum, bom... nós dois passamos por ele praticamente ao mesmo tempo.

A pequena mentira foi uma forma de contornar a situação, mas ele se sentiu como se tivessem polvilhado pó de vidro em sua pele: embora não chegasse a machucar, era desagradável. Não conseguiu sustentar a mentira por muito tempo.

— Mas quem o viu primeiro foi o Miyawaki.

— Eu nunca tinha falado direito com ele, mas parece ser um cara legal!

Então ela tinha gostado de Miyawaki. Ele sabia que isso ia acontecer.

Depois daquele incidente, os três se aproximaram bastante. Às vezes iam à casa de Chikako para ver como estava o cãozinho resgatado.

Sempre que ia à casa da amiga, Sugi era logo colocado para trabalhar no pomar, desde pequeno. Com Miyawaki não foi diferente. Apesar do jeitão e do sotaque de menino da cidade, até que ele se saía bem trabalhando com a terra. Logo toda a família de Chikako se afeiçoou a ele.

O Shih-tzu acabou morando lá, pois seu dono nunca apareceu. Sentindo-se culpado, Miyawaki se ofereceu para procurar outro dono, mas Chikako não queria nem ouvir essa ideia. O cãozinho já tinha estabelecido uma relação de pai e filho com o Shih-tzu mais jovem que vivia na casa, e Chikako o considerava "o que ganhamos do Miyawaki".

Depois de um tempo de convivência, os gatos dos Sakita se sentiam mais à vontade com Miyawaki do que com Sugi, mas nesse caso o amigo mais velho não sentiu que tinha perdido, porque os gatos sempre souberam que não eram os preferidos. Os cachorros, sim, o adoravam. Até "o Shih-tzu que ganhamos do Miyawaki" era mais próximo de Sugi, talvez por ainda não ter superado a perseguição dentro do fosso.

Certo dia, na escola, encontrou Miyawaki folheando a seção de classificados de empregos de um jornal gratuito. Faltava pouco para as provas finais do semestre, e os professores provocavam os dois meninos alertando-os para que não salvassem nenhum cachorro desta vez.

— Procurando algum bico pras férias de verão?

— É. Queria alguma coisa que pague bem e que pague por dia.

— Aí você está pedindo um pouco demais, não acha?

Miyawaki coçou a cabeça e concordou, sem jeito.

— Eu queria estar trabalhando desde o começo do ano.

O colégio onde eles estudavam proibia os alunos de trabalhar durante o ano letivo.

— O que está havendo? Sua mesada não dá conta?

A bem da verdade, nenhuma mesada de adolescente dá conta.

— Não, é que eu queria viajar nas férias. O mais cedo possível.

— Pra onde?

— Pra Kogura.

Ao ver a expressão confusa do amigo, Miyawaki explicou:

— Fica em Fukuoka. Pouco antes de Hakata.

Isso esclarecia a localização, mas Sugi continuou sem compreender por que Miyawaki queria ir para essa cidade e não para Hakata, que era muito mais conhecida.

— Por que Kogura?

— É que tenho um tio distante que mora lá... Foi quem adotou o gato que eu tinha quando criança, quando precisei me desfazer dele. Só que até hoje eu nunca consegui ir até lá.

Certo. Então, para ser mais específico, ele não queria visitar Kogura, queria visitar o gato.

— E por que você teve que se desfazer dele?

Sugi perguntou sem pensar, mas logo se arrependeu, pois Miyawaki deu um sorriso constrangido. Bem nessa hora, notou uma sombra às suas costas.

— Eu escutei tudoooo! — cantarolou Chikako, com uma risadinha impertinente.

— Você e essa mania de se intrometer na conversa dos outros! — censurou Sugi.

— Não me enche! — cortou ela. — Entendo perfeitamente como você se sente, Miyawaki. Pode deixar, que vou te ajudar.

— Você tem algum trabalho pra me indicar?

Chikako estufou o peito, orgulhosa.

— Tenho. E o melhor é que você já pode começar neste fim de semana!

— Que história é essa? Se você conhece um esquema bom assim, também quero saber o que é!

Sugi também estava começando a pensar em algum trabalho para o verão.

— A escola proíbe que a gente trabalhe durante as aulas, mas a regra não diz nada sobre um aluno que esteja ajudando na ocupação familiar. E se alguém quiser ajudar a família de um colega nos fins de semana, também pode. É só entregar uma notificação. Dizem que é "estudo social".

Ou seja, ela estava propondo que ele trabalhasse no pomar de sua família.

— O salário não é alto, mas posso pedir para o pagamento ser feito por semana. Então, se você começar agora, já pode viajar no começo de agosto.

— Obrigado!

Miyawaki se ergueu com tanto entusiasmo que quase chutou longe a cadeira. Agradeceu Chikako profusamente.

O sítio já estava recebendo visitantes para a temporada de "colha e pague" do ano. Sugi também começou a trabalhar lá, com exceção dos domingos antes de provas. O valor por hora era mais baixo até mesmo do que seria em uma loja de conveniência, mas mesmo assim cada um conseguiu juntar vinte mil ienes até o fim das aulas.

Quando as férias começassem, estariam livres para trabalhar todos os dias. Assim, trabalhando durante o mês de julho, Miyawaki teria o suficiente para arcar com a passagem e os gastos em Kogura.

— E você, Shu-chan, o que vai fazer com seu dinheiro?

— Ainda não pensei nisso... — Era mentira. Quando continuou, ele tentou falar como se a ideia só tivesse lhe ocorrido naquele momento: — Quer ir ao cinema, ou coisa assim?

— Por sua conta?

Ele já sabia que ela ficaria animada e perguntaria isso, sem rodeios.

— Claro. Afinal, foi você quem me arranjou o trabalho.

— Legal! Se é assim, acho que você podia pagar o jantar também...

O garoto conteve o impulso de comemorar.

— Tá bom, tá bom… — respondeu, com uma careta, como se estivesse concordando contra sua vontade.

— Sério? Eba! Não vai voltar atrás, hein?

Chikako ficou contente, repetindo que tinha se dado bem. Estava claro que ela certamente não via o convite como um encontro romântico, mas era um bom começo.

Não havia por que ter pressa. Pelo menos era o que Sugi pensava.

Certo dia, no começo da última semana de julho, Satoru Miyawaki não apareceu no horário para trabalhar.

Também não ligou para avisar que ia se atrasar, o que era estranho para alguém sempre tão correto. Sugi começou sozinho, perguntando-se o que teria acontecido.

Miyawaki finalmente chegou com uma hora de atraso.

Pediu desculpas aos adultos com o rosto pálido e tenso.

— Descanse um pouco se não estiver se sentindo bem — sugeriu o pai de Chikako.

Mas o menino, teimoso, insistia que não era preciso.

Na hora do almoço, os pais de Chikako mandaram os três descansarem dentro de casa. Miyawaki parecia cada vez pior.

— Ei, o que você tem? Aconteceu alguma coisa?

Miyawaki continuou respondendo que não era nada.

Então Chikako, que até então só observava, em silêncio, perguntou:

— Por acaso aconteceu alguma coisa com aquele gato?

Os lábios de Miyawaki se contraíram imediatamente. Ele abaixou o rosto, tentando se conter… mas não conseguiu. Logo as lágrimas começaram a cair sobre os joelhos.

— Ele foi atropelado… — murmurou, com a voz entrecortada.

E não conseguiu dizer mais nada.

Tinha recebido a notícia pela manhã.

— Você gostava muito dele, né? — perguntou Chikako, compadecida.

Miyawaki murmurou novamente, com um fio de voz:

— Ele era da família pra mim.

Por que será que ele tivera que dar o tal gato? Sugi já perguntara isso uma vez, mas não tivera resposta. Agora, ao ouvir que o gato era como família, ficou ainda mais intrigado.

Se o tal gato era tão especial assim, por que se desfazer dele? Esse questionamento insensível brotou no peito de Sugi. Talvez porque invejava o fato de Chikako e Miyawaki terem uma conexão especial por conta do afeto por gatos.

Porém, essa inveja foi derrubada por um golpe certeiro:

— Ele vivia com a gente quando meus pais eram vivos...

Certamente serei castigado por ter questionado os motivos dele, pensou Sugi. *Ficar ruminando essas coisas quando um amigo está sofrendo... Com certeza serei castigado por ser uma pessoa tão ruim.*

— Que pena que eu não fui a tempo...

Ao contrário de Sugi, Chikako o consolava com tanta ternura! Desde criança, o menino sempre se sentira ofuscado pela bondade de sua amiga tão alegre, simpática e bonita, mas não conseguia ser como ela.

Ele queria se tornar um homem do tipo que não passaria vergonha ao lado de Chikako. Entretanto, continuava mesquinho e grosseiro. Por quê?

Mas eu juro, Deus, que não sabia que os pais de Miyawaki tinham morrido. Se eu soubesse, não duvidaria dele.

Sentiu que Deus ria dele, dizendo que não importava o que ele soubesse, pois jamais seria tão carinhoso quanto Chikako.

— E o trabalho? Você vai continuar? — No fim, foi a única coisa que conseguiu dizer.

Chikako o olhou exasperada, como quem diz "ai, homens!". Porém, Sugi não conseguiria dizer uma falsidade qualquer só para consolar alguém. Não tinha como se forçar a imitar, só na superfície, o carinho genuíno de Chikako, que vinha do coração.

— É verdade... Agora não tenho mais por que ir a Kogura. — Miyawaki sorriu, ainda fungando.

Mas Chikako o interrompeu, falando bem alto:

— Você devia ir, sim! Melhor juntar o dinheiro e ir até lá se despedir direitinho dele — discursou ela, enquanto Miyawaki a encarava de olhos arregalados. — Se você não passar pelo processo de luto, não vai conseguir superar esse assunto nunca. Não adianta ficar aí todo chateado, pensando que demorou demais. Você tem que enfrentar a dor pela partida do seu gato. Então, vá até lá contar a ele que, apesar de não ter chegado a tempo, você estava fazendo de tudo para ir. Se não, ele vai ficar preocupado e não vai conseguir partir em paz.

Sugi sabia quanto aquelas palavras deviam estar pesando nos ouvidos de Miyawaki. Afinal, até ele, que pensava coisas maldosas, sentiu as lágrimas brotarem.

No fim, o amigo continuou a trabalhar. Disse, sorrindo, que não tinha escapatória, depois do discurso efusivo de Chikako. Trabalhou até meados de agosto, para juntar um pouco mais de dinheiro, pois aproveitaria a viagem para passar em outros lugares. Partiu quase no fim das férias.

Quando o reencontraram na escola, Miyawaki parecia totalmente recuperado.

Trouxe lembrancinhas para os dois. Para Sugi, o que ele mesmo tinha encomendado: um pacote do famoso lámen de Hakata. E, para Chikako, trouxe lencinhos e um espelho de bolsa, que, surpreendentemente, eram de Quioto.

— Puxa, é da Yojiya!

Chikako ficou felicíssima, pois era uma marca famosa. Quando uma amiga a chamou, ela se afastou apressada, agradecendo pelo presente.

— Você passou em Quioto também? — perguntou Sugi.

Miyawaki fez que sim.

— Quando eu tinha uns doze anos, fui a Quioto com uma excursão da escola. Enquanto eu estava lá, meus pais faleceram em um acidente de carro.

Então era isso o que ele quisera dizer com "aproveitar para passar em outros lugares". O sentido daquela viagem era muito mais profundo do que os amigos tinham imaginado.

— Minha mãe me pediu um pacote desses lencinhos da Yojiya quando fui para a excursão. Eu não encontrei e acabei voltando antes de conseguir comprar. No fim, um amigo trouxe para mim, mas eu mesmo nunca tinha comprado.

— E o espelho?

— O espelho é o que eu compraria para minha mãe hoje em dia.

O coração de Sugi ficou apertado.

Era Chikako quem deveria estar ouvindo aquela história. Mas, ao mesmo tempo, ele torcia para que ela jamais a ouvisse.

Não queria ter encontrado Miyawaki naquele dia em que resgataram o cachorro do fosso. Bem que podia ter sido outra pessoa a ajudar.

Sugi nunca contou a Chikako a história sobre Quioto. Tentou aplacar a culpa pensando que, se Miyawaki quisesse, ele mesmo contaria.

Também nunca conseguiu perguntar a Chikako se ela sabia, nem perguntar a Miyawaki se ele tinha contado para ela.

Só conseguia sentir medo ao ver desaparecer a vantagem que tinha em relação a Chikako por ser seu amigo de infância.

Chikako chamava Miyawaki pelo sobrenome, e Sugi pelo apelido. Mas já fazia algum tempo que ele não achava mais que isso significava alguma coisa.

Se ela soubesse como Miyawaki se sentia, certamente se apaixonaria por ele.

Chikako era uma menina tão bondosa e cheia de energia. E Miyawaki era o tipo de pessoa que poderia ficar ao lado dela sem sentir culpa.

Enquanto Sugi se debatia internamente como um idiota, tentando se tornar um homem que não passaria vergonha perto de Chikako, Miyawaki já não tinha, desde o começo, nenhum motivo para se envergonhar.

E isso considerando que ele sofreu tudo aquilo quando era criança.

Miyawaki perdeu os dois pais, foi separado de seu gato querido e, quando finalmente achou que ia reencontrar esse gato, foi tarde demais. Mesmo assim, ele não culpava ninguém. Não tinha inveja de ninguém.

Se Sugi estivesse no lugar dele, se entregaria completamente ao drama. Usaria sua situação como justificativa para tudo. Provavelmente a usaria até mesmo para ganhar atenção de Chikako.

Como Miyawaki conseguia estar sempre tão à vontade, tão relaxado? Quanto mais Sugi se aproximava dele, mais encurralado se sentia. Ele não tinha chance alguma de ganhar.

Começou a sentir como se sua infância sem transtornos fosse um tipo de desvantagem. Perto de Miyawaki, deveria se sentir um cara de sorte por ter crescido sem dificuldades, mas, em vez disso, passava os dias reclamando. Não hesitava em brigar com os pais, para quem falava coisas horríveis. Às vezes levava uma discussão longe demais e chegava a fazer a mãe chorar.

Por que sou um cara tão mesquinho se não me falta nada na vida? Por que não consigo ser uma pessoa mais bondosa do que Miyawaki, que tem muito menos do que eu?

Chikako também crescera sem nenhuma dificuldade, mas não sentia nenhuma inveja de Miyawaki. Os dois conviviam com naturalidade e se divertiam juntos. Isso também fazia Sugi se sentir encurralado.

É que ambos eram do mesmo tipo de pessoa. Por isso ela não se sentia inferior nem tinha inveja. Por isso eles se aproximavam, naturalmente, um do outro.

Desse jeito, Sugi ia perdê-la. Apesar de gostar dela desde muito antes.

— Será que o Miyawaki gosta de alguém?

Certa vez, Chikako deixou escapar essa pergunta num sussurro. Miyawaki não estava por perto. Sugi, completamente tomado por seu complexo de inferioridade e pela inveja, se declarou.

Só que não foi a ela que contou o que sentia. Foi para Miyawaki.

— Sabe, eu gosto da Chikako. Já faz muito tempo, desde que a gente era criança.

Miyawaki era uma boa pessoa e um amigo fiel. Se soubesse dos sentimentos do outro, esconderia os seus próprios. Foi por isso que Sugi se abriu com ele, fingindo querer conselhos.

Miyawaki arregalou os olhos, ficou calado por algum tempo, até que sorriu.

— Eu sei.

Sabe, não é? Eu tinha certeza de que você sabia.

Com um único movimento, Sugi silenciou o amigo. E foi assim, ainda calado, que ele saiu de cena.

No começo do terceiro ano, Satoru Miyawaki mudou de escola. Ele já tinha mencionado que a tia se mudava muito por causa do trabalho.

Sugi ficou sinceramente triste, mas também aliviado. Achou que agora poderia ficar tranquilo.

— Por que você, que teve uma vida tão infeliz, é um cara tão legal?

Antes que se desse conta, Sugi estava enrolando a língua por causa do vinho que haviam aberto no jantar. Era uma especialidade da região, um tinto de uvas *adirondack*. Adocicado e leve, era um perigo, pois bastava um descuido para passar da conta.

Chikako tinha acabado de sair da mesa para ir tomar banho, o que colaborou para que o marido se deixasse levar e falasse demais.

Miyawaki riu meio sem jeito.

— Bom, não sei se sou um cara tão legal assim... De qualquer jeito, a pergunta não faz sentido, porque minha vida não foi infeliz.

— Ih, qual é? Está querendo botar banca de bem resolvido?

— Essa bebida não está te caindo bem... Melhor diminuir o ritmo até Chikako voltar.

E, dizendo isso, puxou a garrafa para perto de si.

*

Nós, gatos, ficamos meio abobados com a planta *matatabi*, a *catnip* e outras do tipo. Já os humanos, pelo que eu vejo, ficam meio abobados é com o álcool.

Às vezes Satoru bebe em casa. Enquanto assiste a essas brincadeiras de bola dos humanos — beisebol, futebol, coisa assim —, vai tomando um copo depois do outro. Aí fica alegre, até que de repente capota e dorme.

Nessas horas, se eu me distraio e passo perto dele, ele me chama todo meloso, "Nana-chaaan", me pega no colo à força, é um inferno. Então, quando ele está assim, eu evito me aproximar. Sem falar no bafo, que eu vou te contar.

Outras vezes ele bebe fora de casa e volta cheirando a álcool, mas mesmo nesses casos ele também chega bem-humorado. Eu achava que todos os humanos ficassem alegres quando bebiam. É o que acontece com nós, gatos, quando usamos a *matatabi*.

É a primeira vez que vejo alguém beber e ficar infeliz. Foi só Chikako sair para tomar banho que Sugi ficou nervoso e começou a destratar Satoru.

Por que será que essas pessoas bebem se para elas não é divertido? Fiquei observando os dois homens, do meu posto em cima da televisão da sala. Satoru até tirou a garrafa de perto do amigo.

Falando nisso, eu gostei muito da televisão desta casa. Achava que fossem todas fininhas que nem uma tábua, mas essa tem um formato de caixa, bastante convidativo para um gato deitar em cima. De quebra, ainda é morninha, esquenta a barriga. No inverno deve ser maravilhoso.

Momo me contou que essa televisão é muito velha. Disse que antigamente todas eram assim. Que ideia, substituir um design tão aperfeiçoado por aquelas tábuas sem graça! É um verdadeiro retrocesso da tecnologia.

Segundo Momo, dá para distinguir as gerações de gatos entre os que conhecem as televisões em forma de caixa e os que não conhecem. Só que nesta casa eles decidiram não trocar o aparelho por um moderno e fino, porque Chikako prioriza o conforto dos gatos. Eu diria que foi uma decisão excelente.

Que cara é essa? Se você se cansou de ficar aí, aceito meu lugar de volta.

Eu me assustei quando Momo, que estava deitada no sofá ao lado, se dirigiu a mim. O lugar em cima da televisão era seu camarote especial, mas ela fez a gentileza de cedê-lo para mim, por eu ser visita.

Não, eu não cansei daqui. É só que...

Voltei o olhar para Sugi, que continuava resmungando.

Achei que eles fossem amigos, mas, pelo jeito, Sugi não gosta muito de Satoru.

Momo deu um sorriso contido.

Não é isso. Por favor, não pense que ele está sendo um mau anfitrião. Aliás, ontem ele fez questão de ir comprar esse vinho só para Satoru. Queria muito que ele experimentasse.

Mas então, por que que ele está falando desse jeito, perguntando por que Satoru é um cara tão legal? Por acaso é ruim Satoru ser legal?

Meu mestre gosta do seu, mas o inveja. Ele queria ser igual a Satoru.

Isso não faz o menor sentido! Os dois são pessoas diferentes.

Sim, você tem razão. Mas acho que meu mestre pensa que, se conseguisse ser mais parecido com Satoru, Chikako gostaria mais dele.

Opa, opa, tem muita coisa nessa afirmação aí.

Acho que, há muito tempo, Chikako gostava do seu mestre.

Era uma história de muito, muito tempo atrás. De quando esses três ainda eram adolescentes, bem antes de Momo nascer. Ela soube disso por outro gato, seu antecessor.

E Satoru, será que gostava dela também?

Já pensou se Satoru fosse casado com essa moça, que usa uma televisão antiga, em forma de caixa, só para agradar aos gatos?

Isso não temos como saber. Só posso dizer que meu mestre sente alguma culpa em relação a Satoru por causa da esposa.

Mas que história mais enrolada... No fim das contas, Chikako escolheu Sugi e casou com ele! Por que o sujeito continua preocupado?

Para nós, gatos, assim que a fêmea escolhe seu parceiro, fica tudo preto no branco. E não somos só nós; para todos os animais, exceto os humanos, nos assuntos amorosos a decisão da fêmea é final e absoluta. Se bem que eu nunca cheguei a provar do amor, pois fui morar com Satoru quando ainda era jovem. Naquela época, eu ainda era um cavalheiro delicado demais para tentar conquistar uma fêmea. Deveria ter sido mais corajoso e direto, que nem Yoshimine. Aquele lá, se fosse um gato, seria muito popular.

Bom, pelo menos assim tudo faz sentido, comentei.

Momo me olhou intrigada.

Aquela besta é o cachorro do Sugi, não é?

Os cachorros deste mundo não são criaturas muito racionais nesse quesito. Se o mestre deles disser que uma coisa é preta, então ela é preta, mesmo que eles estejam vendo claramente que é branca. Toramaru deve ter achado que, agindo assim, estava apoiando seu mestre, que sofre com essa estranha infelicidade.

Só para constar, no caso dos gatos o mestre pode espernear quanto quiser, mas branco é branco. Agimos apenas segundo nossas próprias crenças.

É que Toramaru ainda é jovem, então ele é um tanto afoito.

Mais cedo, ao anoitecer, eles deixaram a besta ficar dentro de casa, mas a levaram direto para outro cômodo. Mesmo sem latir como de manhã, o cachorro foi claramente grosseiro com Satoru, então mais uma vez o clima ficou pesado entre nós.

— Epa, parece que você já passou um pouco da conta, hein?

Chikako reapareceu na sala, de banho tomado.

— Já quer ir deitar? — perguntou ela, como se falasse com uma criança.

— Não quero! — Sugi balançou a cabeça que nem um menino birrento. — Se vocês vão ficar acordados, eu também vou.

Chikako e Satoru se entreolharam e sorriram, desconcertados. Um sorriso terno, mesmo assim. Vocês acham bonitinho, é? Um bêbado desses? Para mim, é só deselegante. Será que eu fico assim com a *matatabi*? Deus me livre.

— Eu estou cansado, vou me deitar. Vamos lá, força.

Satoru tentou ajudar o amigo a se levantar, mas ele devia ser mais pesado do que parecia, ou talvez estivesse com as pernas bambas, pois Satoru se desequilibrou e quase caiu. Chikako precisou acudir às pressas.

Os dois o carregaram até o quarto.

*

Algum tempo depois que Satoru Miyawaki mudou de cidade, Sugi e Chikako começaram a namorar.

Mais tarde, candidataram-se à mesma universidade. Depois de conversar a respeito, escolheram estudar em Tóquio. No futuro, Chikako pretendia trabalhar na plantação da família e, se não aproveitasse para viver fora da província durante a faculdade, não teria outra oportunidade. Toda jovem tem o sonho inocente de morar na cidade grande pelo menos uma vez.

Os dois foram aprovados. Chikako foi morar na casa de parentes, e Sugi, no alojamento da universidade. Ele ficou um pouco apreensivo com o colega de quarto que teria, pois eram quartos duplos, mas o alojamento ficava em uma região boa e o valor era atraente.

Sugi e Chikako combinaram de se encontrar antes da cerimônia de começo das aulas, depois que tivessem se instalado em suas residências novas, e ele seguiu rumo ao alojamento, tentando se orientar com o mapa pelas ruas desconhecidas.

Errou o caminho algumas vezes e deu algumas voltas, mas conseguiu chegar não muito depois do horário previsto.

Então, enquanto estava preenchendo os formulários na recepção...

— Sugi!

Ele ainda não conhecia ninguém que fosse chamá-lo daquele jeito. Virou-se, espantado, e mal pôde acreditar no que viu.

— Miyawaki!

Ele congelou. A sensação reconfortante de encontrar um amigo saudoso em um lugar desconhecido, a dúvida sobre o que Satoru Miyawaki estaria fazendo ali, a culpa que escondia havia tanto tempo... Muitos sentimentos diversos competiam dentro dele.

— Bem que eu me perguntei se você também vinha pra cá quando a Sakita me contou que ia se candidatar para essa universidade!

— A Chikako te contou? Vocês se encontraram desde que você mudou de escola?

— Imagina! Foi por carta.

Naquele tempo, ainda não era comum os estudantes terem celular. Para manter contato com os amigos distantes, o jeito eram as cartas ou o telefone.

— Eu dei meu endereço novo pra vocês, não dei? Aí a Sakita me escreveu.

Miyawaki ainda reclamou, brincando, que Sugi não tinha escrito nem uma única vez. Mas quem é que espera esse tipo de dedicação de um menino adolescente?

— Eu liguei umas vezes, não foi?

— É, acho que depois de certa idade é assim mesmo com os garotos. Eu também só falo por telefone com um outro amigo dos velhos tempos. Fiquei até surpreso quando Sakita me escreveu. As garotas são muito mais dedicadas. Enfim, aí a gente trocava umas cartas às vezes.

Então foi assim que ele soube que Chikako ia tentar essa universidade. Será que foi por isso que ele veio para cá?

— Chikako não comentou que você também tentaria vir para cá.

— Ah, sim — confirmou Miyawaki, tranquilamente. — É que eu não contei a ela. Eu vi que era a mesma, mas achei que ia ficar chato se no fim um de nós não conseguisse entrar. É diferente de vocês, que estavam estudando juntos, se apoiando e tal.

Realmente não parecia ser nada de mais. Sugi até queria ficar desconfiado, mas a explicação era convincente. Ainda assim...

Miyawaki, é tudo verdade o que você está falando? Posso acreditar piamente em tudo?

— Então a Chikako não contou que eu também vinha pra cá? — Sugi ainda estava incomodado.

— Não... Por que será? — Miyawaki inclinou a cabeça, pensativo. — Mas se ela dissesse que vocês iam prestar a mesma e um dos dois não passasse, também ficaria chato, né? Se um dos dois não passasse, eu não ia saber o que dizer quando ela me contasse o resultado.

Talvez fosse só por isso mesmo. Se Sugi queria ficar desconfiado de qualquer jeito, o problema era dele. Era o preço que pagava por ter, naquele dia, silenciado os possíveis sentimentos do amigo fingindo pedir conselhos.

— Já que a gente está no alojamento, vamos pedir pra dividir o quarto! Meu colega de quarto ainda não chegou. Se a gente falar agora, deve ser mais fácil.

Miyawaki tinha chegado uma semana antes e, com sua simpatia habitual, já fizera amizade com várias pessoas. Ele então conversou com o casal que administrava o alojamento e logo conseguiu o novo arranjo.

Chikako ficou contente ao saber que Miyawaki estava na mesma faculdade, mas brava por ele não ter contado antes. Disse que estava justamente pensando em lhe escrever para contar que ela e Sugi tinham entrado.

Graças a Miyawaki, a vida no alojamento, que preocupava Sugi, já começou tranquila. Ser seu amigo lhe deu uma vantagem considerável ali dentro.

Se às vezes o remorso reaparecia sorrateiramente, isso também era problema dele.

Assim se passou o primeiro período, que logo deu lugar ao segundo.

— Sugi, olhe o que eu ganhei de um veterano!

Miyawaki carregava umas latas de cerveja de uma marca não muito barata.

A lei japonesa só permite beber depois dos vinte anos, mas na vida universitária isso só funcionava da porta para fora. Dentro do alojamento, a bebida corria solta, inclusive entre os menores de idade. Só era preciso um pouco de moderação, para não chamar atenção dos diretores.

— Opa! Então vou arranjar algum petisco pra acompanhar.

Os estudantes viviam recebendo pacotes de comida dos pais, então bastava circular pelos corredores fazendo um escambo para conseguir alguma comida decente. E Sugi tinha acabado de receber uma caixa de uvas. Saiu com elas e voltou com um petisco de salmão seco e um salgadinho de edição limitada, que conseguiu com um colega de Hokkaido.

Miyawaki ficava bem-humorado quando bebia, mas não era muito resistente. Depois de duas latas já ficava com os olhos vermelhos.

Naquela noite, a conversa chegou, por acaso, aos envolvimentos amorosos dentro do alojamento. Tinha um rapaz do primeiro ano, um sujeito um pouco entusiasmado demais, que vivia tentando a sorte com garotas mais velhas e só se dava mal. Todos os garotos zombavam dele por isso, mas no fundo torciam por seu sucesso.

— Quantos foras ele já levou?

— Outro dia ele falou que era a décima primeira vez que recusavam seu convite — respondeu Miyawaki, sempre por dentro das notícias, segurando o riso. — E ele disse isso sorrindo, não parecia nem um pouco chateado. Disse que no segundo semestre vai alcançar a marca dos vinte.

— O cara já esqueceu o objetivo principal, agora está querendo bater o recorde de quem mais quebra a cara!

— Mas eu tenho um pouco de inveja dessas pessoas assim, sem medo de nada.

Os olhos vermelhos de Miyawaki brilharam um pouco.

Sugi teve um pressentimento...

— Pra falar a verdade, quando a gente estava no colégio eu tinha uma queda pela Sakita.

Como ele gostaria de nunca ter ouvido isso!

— Achei que não teria chances, porque já tinha você... Mas eu devia ter dito alguma coisa, pelo menos uma vez, mesmo que fosse pra quebrar a cara.

Se Miyawaki tivesse feito isso, "pelo menos uma vez", talvez a história tivesse sido diferente.

— Por favor. — Sugi não conseguiu esconder a emoção na voz. — Não conte isso a ela.

Mesmo agora, se ele falasse alguma coisa, uma só vez, talvez a história ainda pudesse mudar.

— Por favor.

Como um idiota, Sugi curvou os ombros e abaixou a cabeça para enfatizar o pedido. *Como eu posso ser tão traiçoeiro?* Mesmo ciente de que estava sendo ridículo, porém, continuou de cabeça baixa, suplicando.

Ele sabia que isso deixaria Miyawaki de mãos atadas.

O amigo arregalou um pouco os olhos. Era a mesma expressão que fizera quando, anos antes, Sugi o silenciara fingindo que queria conselhos. Finalmente, deu um sorriso discreto.

— Não se preocupe. Sabe, acho que as coisas entre vocês são mais firmes do que você pensa.

E assim Sugi conseguiu amordaçar, até o fim, o amigo.

* * *

Sugi e Chikako se formaram na faculdade, voltaram para sua terra natal e se casaram alguns anos depois. Miyawaki compareceu à cerimônia.

Depois que Chikako casou e mudou de sobrenome, Miyawaki deixou de chamá-la de Sakita e passou a usar Chikako.

Tendo chegado àquele ponto, o rumo da história estava definido. Considerando a natureza de Chikako e de Miyawaki, essa era uma certeza.

Se às vezes, ao se lembrar de Satoru Miyawaki, o peito de Sugi ainda se agitava, esse era seu castigo por ter roubado as palavras do amigo na época em que a história ainda poderia ser outra.

E agora, se eles adotassem Nana, a presença do gato certamente atormentaria Sugi, dia após dia. No entanto...

Miyawaki, que se deixara silenciar sem resistência, estava passando por dificuldades e precisava de alguém que cuidasse de seu precioso gato. Sugi sentia que era sua obrigação, por ter ganhado usando de táticas vergonhosas.

Pode parecer tarde demais para eu tentar me redimir, depois de ter sido tão mesquinho e covarde, mas eu sempre gostei de você, Miyawaki. Sempre o admirei. Apesar de ter levado uma vida tão mais difícil que a minha, você sempre foi muito mais generoso e gentil.

A verdade é que, se fosse possível mudar, eu queria ser uma pessoa como você.

Sugi não teria coragem de dizer tudo isso, mas sua disposição em ficar com o gato do amigo era sincera.

*

Na manhã seguinte, a besta e eu nos encontramos novamente.

Depois que todos tomaram café da manhã na sala de refeições, Chikako foi buscar o cachorro em outra sala.

— Por favor, Tora, seja bonzinho!

Do outro lado da porta, ouvi quando ela disse isso. Sugi perambulava pelo salão, preocupado. Satoru não perambulava, mas dava para ver que também estava preocupado. Os únicos tranquilos éramos Momo e eu.

Eu já tinha forrado bem o estômago com um Blend Atum Especial incrementado com lascas de frango. Estava pronto para o que desse e viesse.

A besta fincou as pernas no limiar da porta e ficou me encarando, sem olhar para Satoru.

Ah, é. Ontem ele levou uma bronca e tanto. Seu mestre disse que ele não podia latir para Satoru, porque ele era um grande amigo. Assim, só restou um alvo para seus ataques.

Vem, quero ver. Estou esperando.

Então a besta começou a latir com tanta fúria que parecia prestes a dar o bote. Que audácia!

Os humanos gritaram, aflitos, e eu arqueei todo o corpo, arrepiando até o último pelo. Momo, ao meu lado, murmurou:

Até que você não faz feio.

Fico muito lisonjeado, minha senhora.

E para o cachorro:

Some daqui!

Ele continuou latindo mesmo sob as broncas de Chikako e Sugi. Satoru veio correndo me segurar, para que eu não atacasse.

Com você aqui, meu mestre e sua esposa vão se lembrar sempre do Satoru! E quando ela pensa no Satoru, meu mestre fica triste!

Pff, você acha que eu aceitaria viver numa casa com um cachorro que nem você? Nem precisa me mandar embora, eu vou por minha conta! Se é briga o que você quer, saiba que eu estou muito acima do seu nível. Você só tem tamanho, mas sei que nunca lutou pela sua vida. Nunca entrou numa briga sabendo que, se perdesse aquele território, teria menos comida pra sobreviver no dia seguinte. Sempre viveu nessa vida boa de cachorrinho mimado, nas costas dos outros!

Soltei sobre a besta todas as pragas e ameaças que eu tinha aprendido ao longo de inúmeras batalhas. Falei coisas que não poderia reproduzir para os ouvidos sensíveis das senhoras e dos senhores leitores.

Deitada em cima da televisão, Momo apenas assistia a tudo. E me doía dizer termos de tão baixo calão na frente de uma senhora de respeito.

Some logo daqui, seu desgraçado!, latiu a besta, à beira das lágrimas.

Achou que ia conseguir ganhar de mim, do alto dos seus três anos de vida na coleirinha, foi? Ainda te falta muito chão! Momo já viveu o dobro do que eu, mas eu já vivi o dobro do que você.

Não posso admitir nesta casa alguma coisa que faça com que eles lembrem desse Satoru! Afinal...

Cale a boca! Se você continuar, vai se ver comigo!

Mas a besta não se calou. Sua coragem foi admirável — ou talvez ele só estivesse no embalo.

... Afinal, pelo cheiro desse cara, ele não tem mais salvação!

Eu mandei calar a boca!!

— Nana! — O grito de Satoru foi realmente agoniado.

É que eu tinha conseguido me desvencilhar das mãos dele e saltar para cima do cachorro.

O ganido da besta ecoou pela sala. No seu focinho rajado havia três marcas de unha que se tingiam de sangue.

E, mesmo assim, Toramaru não botou o rabo entre as pernas.

Seu rabo pareceu prestes a baixar algumas vezes, mas ele resistia e o erguia novamente. E continuava rosnando, um som do fundo da garganta.

— Nana, que absurdo, machucar o cachorro desse jeito!

A vitória já estava definida. Eu me deixei levar, comportado, por Satoru, que se desculpou efusivamente para Toramaru, Sugi e Chikako.

— Não tem problema. Ainda bem que Tora não o mordeu — disse Chikako, pálida, com um suspiro.

Sugi deu um tapa forte na cabeça de Toramaru.

— Se tivesse mordido, Nana estaria morto!

Pela primeira vez, Toramaru botou o rabo entre as pernas. E me encarou furioso.

Eu sei, eu sei. Sei que não foi para mim que você baixou o rabo.

— Desculpa. Vocês foram tão gentis se oferecendo para ficar com Nana, mas vou ter que levá-lo embora... — disse Satoru, chateado. — Seria maldade obrigar Toramaru a viver com um gato com quem se dá tão mal.

Satoru pegou a caixa. Ao entrar, eu me voltei uma última vez para o cachorro.

Obrigado, Toramaru.

Ele fez cara de espanto.

Eu só vim para curtir a viagem com Satoru, não para ficar morando aqui. Estava pensando como faria para conseguir ir embora com ele, mas graças a você vou poder seguir viagem tranquilo.

Toramaru baixou os olhos e relaxou o rabo. Satoru e eu saímos e nos dirigimos à van prata.

Toramaru também foi levado, na coleira, para se despedir de nós. Sugi mantinha a guia curta, com várias voltas na mão.

Momo veio participar da despedida por vontade própria. Disse que fazia tempo que não assistia a um verdadeiro duelo.

— Sinto muito, de verdade — dizia Chikako. — Ainda bem que Nana não se machucou.

— Eu queria mesmo ficar com ele...

As desculpas incessantes do casal só deixavam Satoru mais desconfortável. Era compreensível, pois, no fim, o único que feriu alguém fui eu, o lutador mais intrépido.

Como sempre, todos adiavam a despedida até o último instante.

Mesmo depois que Satoru já tinha se sentado ao volante, Chikako continuou trazendo de casa presentes e lembranças para ele levar. "Ah, esqueci isso", "esqueci aquilo."

Mas, cedo ou tarde, era preciso dizer adeus.

— Aliás — comentou Satoru, pela janela do carro —, na época da escola eu tinha uma quedinha por você, Chikako. Sabia?

Ele disse na maior naturalidade, como se fosse um comentário qualquer.

Sugi ficou sério. Chikako disse um "Oi?".

Satoru esperou a resposta, tranquilo.

Ela tinha os olhos arregalados de surpresa, até que riu baixinho.

— De onde você desenterrou isso? Depois de tanto tempo, eu nem sei o que dizer...

— É, né?

Os dois riram alto. Sugi relaxou, parecendo aliviado, e se juntou à risada, embora um pouco atrasado. Mas mesmo rindo parecia prestes a chorar.

Satoru deu partida.

— Toramaru?

Quando se deram conta, o cachorro estava agitado, tentando se livrar da guia.

Ei, gato!, Toramaru me chamou. **Pode ficar com a gente. Meu mestre riu junto com a esposa e com Satoru, então você pode ficar!**

Como você é tonto! Já falei que de qualquer jeito eu não queria ficar.

— Toramaru, comporte-se! Pelo menos agora — brigou Sugi, com um puxão irritado na guia.

Não brigue, ele está tentando me convencer a ficar.

Depois de toda a confusão que Toramaru tinha aprontado, seus donos logo acharam que ele estava bravo de novo.

— Será mesmo que ele está latindo de raiva? — comentou Satoru, olhando pelo retrovisor. — Está me parecendo um pouco diferente do latido de antes...

É por isso que eu gosto de você, Satoru. Você percebe essas coisas.

E assim, com um pequeno toque da buzina, a van prata deixou a pousada para trás.

— Eu tinha achado uma ideia tão boa eles ficarem com você...

Você continua remoendo isso? O monte Fuji já ficou para trás! Além do mais, se era para me deixar lá e buscar depois, era melhor nem deixar.

Ao me ver espichado junto à janela traseira da van, Satoru riu.

— Do mar você não gostou muito, mas o Fuji fez sucesso, hein?

Ué, o monte Fuji não faz aquele rugido sinistro que ecoa na barriga da gente, nem fica correndo na nossa direção.

— Seria legal se a gente pudesse voltar aqui algum dia.

É mesmo, vamos voltar! E dormir de novo na pousada do Sugi e da Chikako. O quarto em que a gente ficou tinha uma bela vista para o monte Fuji, e também...

— Você adorou aquela televisão de tubo, não foi?

Exatamente, a televisão! Aquilo lá é muito bom. É do tamanho perfeito para deitar com as patas encolhidas embaixo do corpo, e ainda fica quentinho... Aliás, Satoru, não dá para trocar a nossa por uma daquela, não? Achei incrível.

— É uma pena que lá em casa só tenha a de tela plana... Mas é novinha, trocar por uma de tubo já seria um pouco demais.

Ah... Que decepção!

Bom, então a televisão fica sendo um atrativo especial da pousada dos Sugi.

E da próxima vez que a gente vier, Toramaru vai nos receber abanando o rabo.

*

No final da tarde, um hóspede ligou e fez reserva para o mesmo dia.

— Será que é melhor prender Toramaru?

— Acho que sim. Talvez ele ainda esteja nervoso por causa da briga.

Enquanto prendiam a correia de Toramaru na casinha, Sugi se virou para a esposa.

— Aquela história que o Miyawaki falou hoje...

— Ai, não vai dizer que você ficou encanado?

Sugi tentou fingir que Chikako não tinha acertado em cheio.

— Não, é só que... Fiquei pensando o que teria acontecido se ele tivesse se declarado pra você quando ainda estávamos na escola.

— Não sei. — Chikako deu de ombros, indiferente. — Só ouvindo isso na época para saber como eu ia me sentir.

Fazia sentido. Ele não teve como argumentar.

— Mas até que seria legal saber como se sente uma garota com o coração dividido.

— Então você ia ficar dividida? — perguntou Sugi, surpreso.

— Eu ia, ué. — Chikako riu. — Ia ficar travada diante de dois garotos de quem eu gostava.

Sugi segurou a vontade de chorar.

Então ela não sabia quem teria escolhido. Bem, pelo menos via os dois no mesmo nível.

Isso foi suficiente para deixar mais leve a inveja que ele sentira por todos aqueles anos.

Da próxima vez que eu encontrar o Miyawaki vou poder ser um amigo melhor.

Sugi ficou felicíssimo ao pensar isso.

RELATO 3.5

A última viagem

No cais do porto, encontramos um barco branco gigantesco, do tamanho de um prédio.

Satoru falou que a gente vai entrar nesse barco, com carro e tudo, pela bocona aberta que tem na proa dele. Diz que o barco pode encher a pança com um monte de carros e não afunda! Os humanos constroem uns negócios extraordinários.

Mas, escuta, quem será que teve essa ideia de botar em cima da água essa maçaroca de ferro do tamanho de um prédio? Se querem saber minha opinião, essa pessoa não batia muito bem. Coisas pesadas afundam: é um fato. Nenhuma criatura vivente neste vasto mundo, fora os seres humanos, tenta se opor às leis divinas. Realmente, o ser humano é um bicho esquisito.

Satoru foi comprar a passagem no terminal da balsa e voltou com o rosto corado.

— Ai, passei vergonha... Disseram que você não conta como passageiro.

Ao preencher o formulário, ele tinha escrito meu nome como passageiro. Quando o pessoal do guichê descobriu quem era o tal "Nana Miyawaki (seis anos)", eles caíram na risada. Às vezes Satoru é completamente sem noção.

— Bom, vamos lá?

Os carros já tinham começado a entrar pela boca escancarada do barco, um depois do outro, como contas de um rosário. Ei, esse barco já engoliu um bocado de carros. Tem certeza de que ele não vai afundar?

— O que você tem, Nana? Seu rabo está meio arrepiado.

Ah, é que, sabe como é... Vamos dizer que esse navio afunde. A gente vai ser lançado ao mar, certo? Isso é meio... sabe?

Eu me lembrei da praia que conheci quando fomos visitar Yoshimine. A ideia de ser engolido por aquela quantidade assustadora de água, que faz aquele barulho... Até eu, que sou eu, fico arrepiado. Afinal, os gatos não nadam muito bem e odeiam água (de vez em quando aparece algum esquisito que gosta de tomar banho, mas esses aí certamente têm algum tipo de mutação).

Para você, Satoru, também não seria fácil ter que nadar até alguma ilha com um gato encarapitado na sua cabeça.

Indiferente a minha preocupação, a van prata seguiu para dentro do barco. Satoru parecia cansado, carregando a mala de viagem no ombro esquerdo e minha caixa na direita. Até pouco tempo atrás, ele carregava isso com facilidade...

Ô, Satoru, não quer que eu vá por conta própria?

Dei uma empurradinha na tranca da caixa.

— Não!

Aflito, Satoru segurou a porta e inclinou a caixa, com a porta para o alto. Opaaaa! Escorreguei e dei com a bunda no fundo da caixa.

— Animais não podem andar soltos dentro da balsa. Aguenta só mais um pouquinho.

Se você diz "animais", é porque inclui cachorros também, né? Então pelo menos é justo. Tem muitos lugares por aí, inclusive hotéis, onde cachorros podem ficar soltos e gatos, não. Dizem que é porque os gatos afiam as unhas nos móveis e coisa assim. Ué, nesse caso era só cobrar um pouquinho mais dos hóspedes com gatos, para os reparos necessários. Além disso, nós, gatos, só afiamos as unhas quando estamos à vontade, então poucos fariam isso em um lugar desconhecido, onde estejam apenas de passagem.

E esse tal "cheiro de bicho", que tanto incomoda os humanos, é muito mais leve nos gatos do que nos cachorros, viu?

Seja como for, essa história de permitir cachorros e proibir gatos me tira do sério. É discriminação. Se é para proibir, que proíbam os dois. Gostei desta balsa aqui.

Satoru me levou até a salinha reservada aos animais na balsa. Pelo que eu entendi, todos tinham que ficar juntos ali.

Era um cômodo sem grande personalidade, mas ajeitadinho, com compartimentos de bom tamanho empilhados até o teto. O único outro gato era um persa branco, do tipo chinchila. Os outros animais eram todos cachorros, de todas as raças, pequenas e grandes.

— Pessoal, este é o Nana! Espero que vocês se deem bem até a chegada.

Satoru fez questão de me apresentar para todos os que já estavam lá antes de me deixar em um dos compartimentos.

— Você vai ficar bem aqui, Nana? Não vai se sentir sozinho?

Como é que eu vou me sentir sozinho num lugar lotado desse jeito? Sozinho, uma ova. Para falar a verdade, eu não acharia ruim ser levado para um lugar mais tranquilo. Esses cachorros aí gostam de jogar conversa fora, ficam tagarelando só porque são a maioria. Estou ouvindo eles cochicharem: "Olha, outro gato", "Desta vez é um vira-lata".

Oh, puxa, lamento muito por ser vira-lata!

— Pena que a gente não pode ir de carro até lá... Desculpa, Nana.

Já falei pra você não encanar com isso! É um dia só, eu aguento. Pode não parecer, mas nós, gatos, somos muito resilientes.

Além do mais, pelo que Satoru contou, ainda tem uma viagem comprida nos aguardando depois da balsa. Ultimamente ele tem se cansado muito rápido, não teria forças para dirigir por todo o caminho.

— Eu venho ver você sempre que der, então, se estiver se sentindo sozinho, aguente só um pouco, tá?

Será que dava para você não falar que nem um maluco superprotetor na frente dos outros, por favor? Assim fica chato pra mim.

— Oi! Vocês são os únicos gatos aqui, espero que fiquem amigos!

Satoru devia estar falando com o persa chinchila no andar debaixo do meu. Agora eu não conseguia mais ver, porque já estava na minha caixa, mas quando entramos na sala vi que ele estava encolhido bem nos fundos.

— Será que ele também está chateado? Talvez esteja com medo, porque hoje tem muitos cachorros aqui...

Xi, errou feio. O persa estava enrodilhado, mas a ponta do rabo mexia sem parar. Bastava uma olhadela para ver que ele não estava com medo, mas sim irritado com o falatório azucrinante dos cachorros.

— Bom... então até mais, Nana!

Satoru foi embora com sua mala.

Foi só ele sair que todos os cachorros começaram a falar comigo ao mesmo tempo, uma gritaria só.

Ô, gato! Ei! De onde você veio? Pra onde está indo? Quem é seu mestre?

Entendi imediatamente a irritação do persa e logo imitei sua pose no canto do meu compartimento.

Eu estava só fingindo que dormia ali no canto, porque os cachorros eram muito chatos. Mas Satoru não entendeu.

— Desculpa, sabia que você ia ficar triste...

Depois disso, ele começou a vir me visitar com uma frequência meio exagerada. Ai, eu falei que não precisava vir tanto... Logo os cachorros começaram a zombar de mim, dizendo que meu dono era superprotetor, porque ele vinha muito mais do que todos os outros. Assim que Satoru ia embora, começavam o coro: "Superprotetooor! Superprotetooor!".

Calem a boca, seus idiotas! Eu rosnava e voltava para o meu canto.

Que bando de chatos, fazendo esse estardalhaço que nem uns moleques!

Foi o persa abaixo de mim quem disse isso, alto o suficiente para que os cachorros escutassem.

Vocês não perceberam que é o dono dele quem está se sentindo sozinho?

Ele falava com uma grosseria surpreendente para um gato chique de raça. Os cachorros responderam com resmungos insatisfeitos.

Ué, mas... ele vem toda hora porque Nana está triste, não é?

Pra um bando de cachorros, vocês estão com o olfato fraco, hein? Não viram que, pelo cheiro, esse dono já não tem mais muito tempo? Ele quer ficar junto com o gato dele o máximo possível.

Todos os cachorros se calaram. Então recomeçaram a cochichar, desta vez dizendo "coitadinho, coitadinho". Não adiantava nada, porque dava para ouvir perfeitamente, mas tudo bem. A maioria dos cachorros era jovem, então ainda deviam ser meio burros.

Valeu, cara, falei na direção do compartimento abaixo, e o persa respondeu, antipático, que só tinha interferido porque estava cansado do barulho.

Na visita seguinte de Satoru, todos os cães fizeram festa para ele. Satoru ficou muito contente e afagou algumas cabeças pelas grades dos compartimentos.

— Puxa, que bela recepção, todo mundo abanando o rabo!

Apesar de meio burros, no fundo os cachorros eram boa gente.

Depois de tudo isso, o persa e eu começamos a participar um pouco da conversa, para matar o tempo naquela viagem tediosa. Só que a maioria dos assuntos não ia muito longe. Não tenho o que dizer se, em um papo sobre comida preferida, me falam sobre ossinhos de couro.

E assim seguimos viagem até que, na hora do almoço do dia seguinte, a balsa aportou em seu destino. Satoru foi o primeiríssimo a aparecer na sala dos animais.

— Desculpa, Nana! Deve ter sido muito chato ficar aqui!

Não, foi tranquilo. Além do mais, a conversa com o persa até que foi boa. Aliás, seria legal dar tchau para ele antes de irmos embora.

Eu estava pensando isso quando Satoru, a caminho da saída, virou a portinha da minha caixa para dentro da sala.

— Ei, Nana, diga tchau para os colegas.

Eu me despedi rapidamente. Os cachorros todos balançaram os rabos ao mesmo tempo.

Good luck, disse o persa.

Gud o quê?

Acho que quer dizer "boa sorte". Meu mestre sempre diz isso.

A propósito, quem buscou o persa foi um homem de olhos azuis, junto com a esposa japonesa. Das línguas dos humanos, o persa dominava mesmo era o japonês, mas pelo jeito também entendia um pouco da língua do dono.

Obrigado. *Good luck* pra você também.

Assim encerramos as despedidas. Satoru e eu descemos para o porão do barco e entramos na van prata.

*

Ao sairmos da balsa, o céu azul se estendia infinito à nossa frente.

— Finalmente chegamos a Hokkaido, Nana!

Era uma terra muito vasta e plana que se estendia para todos os lados. A paisagem na janela era a de uma cidade comum, porém muito mais espaçosa. Até as ruas eram mais largas que as de Tóquio.

Depois de dirigir por algum tempo, chegamos aos subúrbios. Um lugar muito gostoso, ainda mais amplo e com poucos carros na estrada. A viagem prometia ser bem agradável.

A trilha sonora da viagem: novamente aquela música do mágico.

Os campos que ladeavam a estrada estavam repletos de flores lilases e amarelas, todas misturadas. Provavelmente eram flores silvestres e não canteiros planejados, pois cresciam em desordem.

Achei as ruas de Hokkaido meio largadas, mas muito vistosas. Diferentemente de Tóquio, onde são cobertas até o último centímetro por concreto e asfalto, aqui ainda há terra mesmo ao longo das vias principais. Talvez por isso a paisagem passe uma sensação de tranquilidade, como se o chão conseguisse respirar melhor.

— Essas flores amarelas eu conheço, são um tipo de solidago, mas qual será essa outra, a roxa?

Então Satoru também estava prestando atenção nas flores. A combinação de amarelo e lilás era realmente muito impressionante. E as lilases não tinham um tom só, era um dégradé que ia desde o violeta claro até o roxo mais intenso.

— Vamos descer para dar uma olhada?

Satoru parou no acostamento. Eu também desci da van, no colo dele. Ele não me colocou no chão ao se aproximar das flores, pois havia carros passando a toda velocidade.

— Ah, são crisântemos silvestres! Mas eu imaginava que fossem delicados.

Os tais crisântemos silvestres, que cresciam por toda parte, tinham um monte de flores saindo de cada caule, como uma vassoura de ponta-cabeça. Não eram nada frágeis nem delicados. Pelo contrário, eram bastante vigorosos.

Ah!

Uma abelha voava entre as flores, e minha pata saltou em sua direção.

— Não, Nana! E se ela picar você?

Não adianta você me dizer isso, é meu instinto! Continuei dando patadas no ar atrás da abelha até Satoru conseguir, com grande esforço, agarrar minhas patas e segurá-las com força.

Hunf! Mas é tão eletrizante caçar esse bicho voando em volta da gente! Você não entende? Eu me sacudi todo para me soltar, mas não adiantou. Satoru me levou no colo de volta para dentro da van.

— Se você só quisesse acertar a abelha, ainda vai. O problema é que você tenta comer o bicho! E se ela picar sua boca por dentro?

Ué, quando a gente pega alguma coisa, tem que dar uma mordidinha para ver como é. Aquelas baratas que aparecem em Tóquio, por exemplo. Quando eu abato uma, sempre dou uma mordiscada. As asas são duras, parece que você está mordendo plástico, mas o recheio é macio e tem um sabor encorpado.

Satoru sempre dava um grito histérico quando encontrava, espalhados pela sala, os restos mortais de alguma barata que eu tinha caçado. Por que será que os humanos odeiam tanto as baratas? Estruturalmente, elas não são muito diferentes de um *kabuto mushi** ou um escaravelho-dourado, e os humanos não berram que nem loucos quando encontram um desses. Como gato, eu até prefiro as baratas. São oponentes mais desafiadores, porque se movem mais rápido.

Seguimos ao longo de um rio até chegar a uma estrada próxima à costa.

Uaaau!

— Uau!

Nós dois exclamamos quase ao mesmo tempo.

— Nossa, parece um mar!

Dos dois lados da estrada se estendiam planícies totalmente cobertas por capim alto. As espigas brancas tremulavam ao vento como ondas.

Não fazia muito tempo que tínhamos parado, mas Satoru estacionou novamente. O acostamento da estrada era largo e não passava quase nenhum carro, então era fácil parar em qualquer lugar.

---

* Besouro-rinoceronte, um tipo de besouro com um longo chifre, criado como bicho de estimação por crianças japonesas. (N. T.)

Mesmo naquela estrada vazia, Satoru deu a volta na van e me pegou no colo, pela porta do passageiro. Não precisa se preocupar desse jeito, eu não vou sair correndo pro meio da rua nem nada assim. Ele é mesmo superprotetor, pensei. Mas se Satoru se sente mais tranquilo assim, tudo bem, fico no colo. Até porque é gostoso. As mãos de Satoru são grandes, eu fico bem confortável.

Mas eu queria ver a paisagem um pouco mais do alto... Subi até os ombros de Satoru e espichei o corpo. Fiquei na altura dos olhos dele.

O vento soprava ruidosamente. As espigas do capim ondulavam até onde a vista alcançava. E atrás de cada onda que se afastava logo vinha outra, como se a perseguisse.

É bem como Satoru disse: um mar em terra firme. Pessoalmente, acho que gosto mais deste aqui, porque não tem aquele rugido assustador do mar de verdade.

Aqui acho que até eu consigo nadar.

Saltei para o chão e corri para mergulhar naquele mar de capim.

Só que, lá dentro, a paisagem subitamente se transformou. Minha visão foi encoberta pelos caules, que cresciam muito próximos uns aos outros. Levantando os olhos, eu via as espigas se agitando bem longe, lá no alto. E, para além delas, o distante céu azul.

A voz preocupada de Satoru chegou aos meus ouvidos:

— Nana? Nana, cadê você?

Ouvi o som seco de passos sobre as plantas. Então ele também deve ter entrado no mar de capim. Aqui! Eu estou aqui! Bem do seu lado!

Porém, enquanto me chamava, a voz de Satoru foi se afastando cada vez mais. Que coisa! Eu consigo vê-lo, mas acho que ele não me vê. Devo estar totalmente coberto pelo capim.

Fazer o quê... O jeito é ir atrás dele, para ele não se perder.

— Nana...

Oi, estou aqui!, respondi, mas o som do vento levava embora minha voz antes que ela alcançasse os ouvidos de Satoru.

— Nana!

A voz dele estava começando a soar desesperada.

— Nana! Nana, cadê você?

Não aguentei mais ver Satoru se afastando de mim e gritei o mais alto que pude:

Já disse que tô aqui!

Lá em cima, mais alto que as espigas de capim, surgiu o rosto de Satoru na contraluz, me encarando. No instante em que nossos olhos se encontraram, sua expressão tensa se desfez e seu olhar se enterneceu. Seu rosto estava molhado e cintilava ao sol.

Sem dizer nada, Satoru caiu de joelhos e me abraçou com força. Agh, está doendo um pouco... Assim você vai me espremer até minhas tripas ficarem para fora.

Satoru tentou me dar uma bronca, mas com a voz chorosa:

— Seu tonto! Se eu perdesse você aqui dentro, não encontraria nunca mais! Para alguém do seu tamanho, isso aqui é igual àquela floresta bizarra, o "mar de árvores"!

Satoru me falou desse "mar de árvores" quando passamos perto do monte Fuji. É uma floresta onde as bússolas não funcionam e as pessoas sempre se perdem.*

Como você é bobo, acha que eu vou perder você de vista?

— Não me deixe aqui sozinho... Fique junto comigo.

Ai, ai. Finalmente.

Finalmente você falou a verdade.

Eu sempre soube que era isso que você queria.

Eu sei que, mesmo dizendo que precisava se desfazer de mim e se esforçando para achar um novo dono, sempre que um encontro dava errado você ficava aliviado.

Para os pretendentes você falava "puxa, que pena", mas no carro, indo embora, eu via sua carinha de satisfação. Como eu poderia ir para algum lugar, depois de ver isso?

Não vou deixar você sozinho de jeito nenhum.

Satoru chorava, tentando abafar a voz. Dei uma lambida, bem de levinho, na sua mão.

Tá tudo bem, tudo bem...

---

* Referência a Aokigahara, uma floresta densa na base do monte Fuji, objeto de muitas superstições e famosa por ser palco de um grande número de suicídios. (N. T.)

Com certeza Hachi, que foi separado de Satoru quando ele era pequeno, também se sentiu assim. Como deve ter sido difícil! Ser separado, à força, de uma criança que gostava tanto dele. Mas eles não poderiam fazer nada para mudar aquilo.

Só que Satoru não é mais criança. E eu sou um ex-gato de rua. Desta vez, vamos conseguir o que queremos.

Então, vamos lá. É nossa última viagem.

Vamos ver muitas coisas maravilhosas. Vamos apostar nosso futuro no tanto de coisas maravilhosas que veremos nesta viagem.

Meu rabo em forma de 7 vai arrastar junto com a gente todas essas coisas, por onde a gente passar.

Voltamos para a van e pegamos a estrada novamente. A música das pombas acabou. Então uma mulher de voz grave e agradável começou a cantar, num ritmo curioso e numa língua estranha, que eu não conheço.

Ouvi dizer que a mãe do Satoru gostava da música da pomba e que o pai dele gostava dessa aqui.

*

As flores lilases e amarelas continuavam emoldurando a estrada, por todo o caminho.

O carro seguia tranquilamente. Quando passamos por um semáforo pela última vez? Às vezes, quando a estrada se aproximava de uma cidade, aparecia um, como se tivessem se lembrado de repente que existiam. Longe das cidades, porém, eles desapareciam por completo. A viagem seguia sem pausas, como na rodovia expressa.

Nos afastamos da costa em direção ao interior, onde campos exuberantes se estendiam em ambos os lados da estrada. Mais tarde, chegamos a colinas suaves onde a vegetação selvagem deu lugar a terras cultivadas por humanos.

É incrível, eu não sabia que o chão podia ser assim tão plano e vasto. O chão daqui é bem diferente do dos outros lugares que a gente visitou.

Nos terrenos às margens da estrada começaram a aparecer cercas de madeira. E dentro dessas áreas divididas pelas cercas tinha uns... Nossa, uns bichos grandes com o focinho enfiado no mato, mastigando. O que é isso?

Apoiei as patas na janela do passageiro e estiquei o corpo. Aliás, vendo que eu vivia fazendo isso para ver a paisagem, Satoru botou uma caixa e uma almofada no assento, para eu ficar mais alto. Mas quando aparece alguma coisa muito peculiar não tem jeito, eu preciso me esticar para ver.

— Ah, isso aí são cavalos! Essa região é toda de pastos.

Puxa, cavalos! Então é isso! Já vi na televisão, mas é a primeira vez que vejo ao vivo. Só que na televisão eles pareciam mais encorpados... Os cavalos comendo capim ao lado da estrada eram grandes, sem dúvida, mas relativamente esguios.

Ao notar que eu virava a cabeça para olhar os cavalos, Satoru riu.

— Se você gostou tanto deles, podemos parar da próxima vez que aparecer um.

No pasto seguinte por onde passamos só havia um cavalo, em um cercado bem afastado da estrada, tão longe que parecia pequenininho.

— Esse está meio longe...

Um pouco chateado, Satoru desceu da van, me pegou no colo e bateu a porta.

No mesmo instante, o cavalo parou de pastar e ergueu a cabeça, apesar de estar tão longe que parecia menor que a mão de Satoru.

O ar ficou carregado, desde onde ele estava até nós. Com as orelhas em pé, ele nos encarava fixamente. Uau! A sensibilidade desse animal não é brincadeira.

— Ah, ele olhou pra cá, Nana!

Ele não está só olhando. Está analisando. Avaliando se oferecemos algum perigo. É possível que esteja observando com tanta atenção justamente por estarmos longe. Se estivéssemos mais perto, talvez ficasse mais tranquilo, vendo logo que se trata só de um humano e um gato.

Eu diria que, com um corpo grande desse jeito, não há necessidade de tanta apreensão. Se bem que cada animal tem seu temperamento inato. Grandes ou não, os cavalos são bichos que comem planta, e os bichos que comem planta guardam para sempre a memória de serem caçados pelos bichos que comem carne. É inevitável. Eles têm que ser amedrontados.

Nós, gatos, por outro lado, somos do time dos caçadores, mesmo pequenos. E quem caça luta. Também ficamos atentos e tomamos cuidado com bichos desconhecidos, claro, mas, na hora do vamos ver, não nos acanhamos nem diante de criaturas muito maiores.

É por isso que há cachorros que resolvem se meter com gatos, achando que é brincadeira, e terminam ganindo com o rabo entre as pernas. Não importa se é uma raça grande, dez vezes maior do que nós: se for para brigar, a gente briga.

Pensando bem, já faz muito tempo que os cachorros não precisam mais caçar. Até mesmo os cães de caça só levam a presa para seus donos, não são eles que desferem o golpe de misericórdia. Essa é uma diferença decisiva entre eles e nós. Quando caçamos alguma coisa, sempre terminamos o serviço e liquidamos a presa, impreterivelmente. Mesmo que seja apenas um inseto.

Essa é uma grande diferença entre os animais: quem tem essa noção de "terminar o serviço" e quem não tem. Por isso, um cavalo pode ser gigante, dezenas de vezes maior do que eu, mas não é um oponente que me bote medo.

Senti meu peito se inflar de orgulho. Orgulho de ser um gato que ainda não desaprendeu a caçar.

Eu, um gato que ainda tem a luta correndo no sangue, não vou abaixar o rabo diante de nada que venha atacar Satoru, independentemente do que seja.

Depois de algum tempo nos encarando, o cavalo pareceu concluir que éramos razoavelmente inofensivos e voltou a pastar.

— Ele está meio longe... mas será que eu consigo tirar uma foto?

Satoru pegou o celular no bolso. O principal modelo das suas fotos, diga-se de passagem, sou eu.

Mas Satoru, se eu fosse você, não tentava fotografar este cavalo, não.

Foi só Satoru estender a mão com o celular que o cavalo voltou a cravar os olhos em nós. Alerta, as orelhas em pé. Satoru fizera um movimento suspeito, então agora precisava ser analisado novamente.

Enquanto Satoru não apertou o botão para tirar a foto, o cavalo não se moveu nem um milímetro.

— Poxa, está longe demais mesmo.

Satoru desistiu depois de um só clique e guardou o celular. O cavalo continuou nos olhando. Olhando. Olhando.

Só depois que entramos na van e fechamos a porta foi que ele abaixou a cabeça e continuou a refeição.

Desculpe incomodar, gritei.

E pensar que existem animais que levam toda a vida assim, nervosos, sendo que poderiam acabar comigo ou com Satoru em um só coice. Se os instintos inatos os fazem viver assim, fico muito feliz por ter nascido gato, com o instinto de luta; por ser um gato cheio de coragem, que não vacila nem diante de adversários muito maiores.

O encontro com aquele cavalo foi muito significativo e me fez perceber isso.

Ao longo do caminho vi muitas paisagens novas.

Bosques de bétulas com troncos completamente brancos e sorveiras apinhadas de frutos vermelhos.

Satoru ia me contando o nome de todas as plantas. Também aprendi com ele que os frutinhos das sorveiras são de um vermelho intenso. Certa vez, vi na televisão uma pesquisadora falando que "os gatos têm dificuldade para distinguir a cor vermelha", mas, ao ver as sorveiras, Satoru comentou que os frutos estavam bem vermelhos, e assim eu aprendi como é essa cor. Quer dizer, talvez a gente enxergue de jeitos diferentes, mas eu aprendi como vejo o que Satoru chama de "vermelho".

— Aqueles ali ainda não estão com as cores tão vivas...

Ele avaliava a cor dos frutos sempre que aparecia uma árvore nova, então fui ficando muito bom em diferenciar os tons de vermelho. Tudo bem que só aprendi como são, no meu jeito de ver, as tonalidades que Satoru enxerga, mas não faz diferença, mesmo assim, estávamos vendo as mesmas cores. E eu vou me lembrar para sempre dos vários vermelhos que Satoru me mostrou.

Passamos por plantações que colhiam batatas e abóboras, e também por plantações onde a colheita já tinha acabado.

As batatas lotavam sacos gigantescos, capazes de acomodar vários humanos, e esses sacos ficavam empilhados em um canto dos campos. Já as abóboras cabotiá eram empilhadas direto na terra escura e úmida, formando várias pirâmides.

Quando achei que já estava bem familiarizado com os arredores, começaram a aparecer enormes embrulhos redondos de plástico, brancos e pretos, espalhados pelos campos. Fiquei me perguntando quem teria largado tantos brinquedos gigantes pelas planícies, mas, no fim, era só feno enrolado.

— Quando chega o inverno, neva muito aqui. Então, eles precisam guardar capim para as vacas e os cavalos comerem.

Neve é aquele negócio branco e gelado que às vezes cai do céu lá em Tóquio, durante o inverno, não é? Na hora pensei que aquilo derretia rapidinho, não entendi por que ficar tão preocupado...

Mas quando chegou o inverno nessa região, aprendi que a neve aqui por esses lados é totalmente diferente. Até eu, que sou eu, fiquei meio atarantado no meio das nevascas. Elas cobrem tudo de branco, você não enxerga um palmo diante do nariz. Mas conto melhor sobre isso depois.

Aqui nas terras frias — o chamado "país das neves" — tem neve que se acumula até alcançar o telhado, é diferente da neve da cidade grande, que em poucos dias já derreteu. Como é que vocês podem chamar as duas coisas pelo mesmo nome? Vou te contar...

Conforme seguíamos, parando para descansar em lojas de conveniência ou postos na beira da estrada, a paisagem foi ficando mais montanhosa e o sol começou a baixar.

Depois de transpor uma montanha sob o sol poente, chegamos a outra região habitada. Nossa van corria pelas estradas cada vez mais escuras, como se brincasse de pega-pega com a noite.

Quando chegamos à nossa cidade de destino, todos os carros com que cruzávamos já estavam com os faróis acesos.

— Acho que hoje já não vai dar tempo... Nem tem mais onde comprar flores — murmurou Satoru, inquieto.

Mas ele não seguiu para nosso hotel naquela noite. Em vez disso, virou em uma travessa no meio do caminho, uma rua um pouco menor do que a principal.

Seguindo por ali, por entre casas residenciais, fomos nos afastando do centro da cidadezinha. Era um pouco estranho chamar aquilo de área residencial, porque as casas eram bem espaçadas. No bairro onde morávamos em Tóquio era inimaginável uma distância daquelas entre uma casa e outra.

Por fim, até as casas foram rareando e a rua virou uma ladeira. Estávamos subindo um morro e no alto havia um portão, por onde entramos com a van.

O terreno lá dentro era todinho dividido em quadrados, até onde a vista alcançava, e dentro dos quadrados se enfileiravam pedras também quadradas. Ah, eu sei o que é isso! Vi na televisão.

São túmulos.

Pelo jeito, os humanos gostam de colocar umas pedras chiques em cima de si mesmos depois de morrer. Lembro que quando vi isso na televisão achei um costume bem peculiar. Eles estavam falando que os túmulos são caros e não sei mais o quê.

Quando chega a hora dos animais, descansamos ali mesmo, onde cairmos. Esses humanos... realmente, são umas criaturas meio neuróticas, se precisam deixar preparado um lugar para dormir depois da morte. Assim a vida é complicada. Se a gente fica pensando até no que vai acontecer depois que morrer, não pode só bater as botas simplesmente, onde estiver.

Satoru dirigiu por mais um tempo pelo grande cemitério, sem se perder, até enfim estacionar.

Ele desceu da van e caminhou tranquilamente por entre os túmulos, até parar diante de um deles, feito de pedra clara.

— É aqui que estão meus pais.

Então era aquele o último lugar que Satoru queria, a qualquer custo, visitar.

Eu não entendo essa vontade dos humanos de colocar pedras grandiosas em cima de corpos já sem vida. Mas compreendo que eles deem muito valor a essas pedras.

Dirigir por tanto tempo já não é tarefa fácil para ele, mas mesmo assim Satoru veio até aqui com sua van prata. E me trouxe junto. Eu, que tenho as manchas na testa iguais às de Hachi e o rabo em forma de 7, virado para o lado oposto ao dele.

Os gatos não são criaturas tão insensíveis que eu não consiga respeitar esse desejo.

— Sempre quis trazer você aqui, Nana.

Eu sei.

Rocei a testa na pedra do túmulo.

Muito prazer. É uma honra conhecer vocês. Sei que Hachi deve ter sido um bom gato, mas eu também não sou de se jogar fora, sou?

— Sinto muito, hoje vim com pressa, mas trago as flores amanhã — disse Satoru, agachando-se diante do túmulo.

Havia um vaso estreito com flores um pouco murchas.

— Ah, é — murmurou ele. — Minha tia deve ter vindo visitar vocês também, por causa do equinócio.*

Ele afagou carinhosamente as flores.

— Me desculpem por não vir mais vezes. Eu devia ter aproveitado as chances que tive.

Eu me afastei um pouco, para dar privacidade a Satoru, mas continuei dentro de seu campo de visão, para ele não ficar aflito de novo.

Durante os cinco anos que passamos juntos, foram poucas as vezes que Satoru viajou para visitar os túmulos da família.

Sempre dizia que queria me levar junto, porque os pais ficariam admirados ao ver como eu parecia Hachi, mas nunca fez isso.

Ele trabalhava muito e, como qualquer jovem, quando finalmente tinha um descanso, queria passear com os amigos. Além disso, tinha compromissos com as pessoas da empresa. É a vida. Ele sempre dizia que gostaria de me levar para conhecermos lugares mais distantes, mas esse plano também nunca tinha se realizado — até agora.

---

* O budismo japonês celebra as semanas dos equinócios de primavera e de outono, e uma das práticas nesse período é visitar o túmulo de entes queridos. (N. T.)

Não é que ele não quisesse. Se o tempo e o dinheiro permitissem, ele viria toda hora. Mas tenho certeza de que seus pais entendem. Afinal, são seus pais.

— Vem cá, Nana.

Satoru me colocou no colo. Sobre o que ele está falando enquanto me afaga?

Pelo jeito, aqui é a cidade natal da mãe dele. Seus avós, que eram agricultores, morreram cedo, e a mãe e a tia, ainda muito jovens, tiveram que se desfazer da propriedade, pois não conseguiram manter sozinhas as plantações e a casa. Parece que a mãe dele sempre se arrependeu disso.

Principalmente depois que Satoru veio ao mundo.

Ela ficava se perguntando se não era triste, para uma criança, ter como terra natal aquela cidade, onde só restavam túmulos, mas não havia jeito. A mãe tinha poucos parentes vivos, e eles estavam espalhados pelo país.

A vida nem sempre segue como a gente quer.

Depois de algum tempo, Satoru se ergueu, comigo no colo.

— Bom, amanhã eu venho de novo!

Ele voltou para a van e dirigiu até o hotel, atravessando a cidade já completamente escura.

Nosso abrigo naquele dia foi um pequeno hotel para executivos que aceitava animais de estimação em alguns dos quartos. A revista onde Satoru havia pesquisado só mencionava cachorros, mas quando ele ligou para perguntar, disseram que "é claro" que também aceitavam gatos. Então até que era um hotelzinho esforçado.

Satoru devia estar cansado de dirigir tanto. Só saiu do quarto por uma hora, para jantar e comprar umas coisas, e, assim que voltou, dormiu.

No dia seguinte, em compensação, acordou muito cedo.

Fez as malas sem demora, e saímos do hotel ainda sob o sol nascente.

— Ih, e agora? As floriculturas ainda não abriram.

Satoru deu uma volta pelas ruas próximas à estação de trem e ficou desnorteado ao ver tudo fechado.

— Será que vai ter alguma no caminho para o cemitério?

Partimos contando com isso, mas as floriculturas do caminho também estavam todas fechadas. Satoru parou no acostamento.

— Vou ter que me virar com essas aqui.

Dizendo isso, ele começou a apanhar as flores amarelas e roxas que víamos ao longo da estrada desde o dia anterior.

Boa ideia! Inclusive, acho até que é melhor assim! Essas também são lindas, e aposto que seus pais vão ficar mais felizes ao receber flores que você admirou ontem o dia inteiro.

Eu também ajudei. Procurei um crisântemo silvestre bem carregado de flores e mostrei para Satoru.

— Está me ajudando, é? — disse ele, sorrindo enquanto colhia as flores do ramo que eu sacudia com patadas.

Voltamos ao cemitério carregando uma braçada de flores silvestres.

Eu não tinha reparado, porque já estava escuro quando fomos lá no dia anterior, mas do alto da montanha dava para ver a cidade todinha se esparramando, até onde os prédios e casas acabavam.

Ao amanhecer, o cemitério era um lugar claro, fresco e arejado. A atmosfera estava límpida e mais alegre. Aliás, mesmo no dia anterior eu não tinha sentido medo, apesar de estar em um cemitério depois de o sol já ter se posto por completo. Cemitérios e templos são clássicos cenários de histórias de terror, mas naquele não havia nenhuma sensação pesada, como se fosse aparecer um fantasma ou outra coisa ruim.

Se nós, gatos, conseguimos ver fantasmas? Bem, os senhores sabem que sobre certas coisas é melhor manter o mistério.

Satoru desceu da van carregando as flores recém-colhidas e também material para limpar o túmulo e fazer as oferendas. Pelo jeito, tinha comprado tudo isso na noite anterior.

Depois de fazer a limpeza, ele tirou as flores velhas do vaso, trocou a água e arranjou as flores novas que trouxera. Junto com mais algumas flores de cosmos que cresciam abundantes ali por perto, elas formaram um buquê de cores muito vivas. Mesmo depois de encher totalmente o vaso, ainda sobraram muitas flores. Satoru as embrulhou em jornal úmido e as guardou na van, dizendo que poderia usá-las depois.

Em seguida, tirou a embalagem de alguns quitutes, como bolinhos recheados com doce de feijão, e os dispôs como oferendas. O cemitério era cheio de formigas. Abertas daquele jeito, as oferendas logo seriam comidas por elas, ou levadas por algum corvo ou furão, mas isso seria muito melhor do que ficarem ali estragando.

Por último, Satoru acendeu os incensos. Pelo visto, o hábito de sua família era queimar, de uma vez só, todo o maço de finos incensos.

Pessoalmente, acho esse cheiro meio desagradável.

Fugi na direção oposta do vento.

Sentado na mureta, Satoru fitou o túmulo por muito, muito tempo. Quando eu rocei em seus joelhos, ele sorriu e afagou minha cabeça. Disse, em um murmúrio quase inaudível:

— Que bom que consegui vir com você.

Sua voz estava alegre.

Eu me afastei e fui dar uma volta para deixá-lo à vontade, sempre tomando o cuidado de não me afastar demais, para que ele ainda conseguisse me ver. Embaixo da sebe que cercava o terreno encontrei um grande arbusto de *fuki*, já com os caules bem grossos.

De repente, vi alguma coisa pular embaixo dele. Um grilo? Eu estava farejando por ali quando Satoru se aproximou. Já terminou de conversar com seus pais?

— O que foi, Nana? Por que se enfiou todo embaixo dessa planta?

Ah, é que aqui nesse cantinho…

— Tinha um bicho aí?

É, tinha algum troço muito esperto. Vi quando pulou, só por um segundo. E deixou um cheiro esquisito.

— Será que era um *korpokkur*?*

Corpo o quê?

— São pessoas bem pequenininhas, que vivem embaixo das folhas do *fuki*.

Hein? Como é que eu nunca ouvi falar de uma coisa tão extraordinária assim?

— Meus livros preferidos quando era criança falavam sobre eles.

---

* Criaturas do folclore do povo ainu, nativo da região de Hokkaido. (N. T.)

Aaah… então é de faz de conta!

— Meus pais também gostavam muito dessas histórias. Lembro que, quando consegui ler aqueles livros pela primeira vez, os dois ficaram supercontentes.

Então Satoru desandou a contar várias histórias sobre as minipessoas. Sinceramente, histórias inventadas não me interessam muito. Falando como gato. Deixei escapar um bocejo, e Satoru riu sem jeito.

— Acho que você não está muito interessado, né?

É que nós, gatos, somos mais apegados à realidade.

— Se você encontrar um de verdade, não pega ele não, tá bom?

O.k., o.k., entendi. Se eu realmente encontrar uma dessas criaturas, vai ser difícil me segurar, mas vou me conter, em respeito a você.

Satoru juntou as mãos mais uma vez diante do túmulo. Eu também rocei as bochechas no canto de pedra, como demonstração de afeto.

Depois de orar por algum tempo, Satoru se ergueu.

— Bom, até mais.

Tinha a expressão tranquila de quem não deve mais nada.

Ele pegou a van novamente e dirigiu até outro ponto do cemitério.

— E este é o túmulo dos meus avós.

Ele arranjou no vaso deste segundo túmulo as flores que tinham sobrado. Depois, assim como fizera no dos pais, dispôs päezinhos e doces como oferenda e acendeu os incensos.

Ali, ele não rezou por tanto tempo. Era natural, já que seus avós morreram cedo e ele não chegou a conhecê-los.

— Bom, vamos lá?

Nosso destino seguinte era a cidade de Sapporo, onde sua tia morava.

Finalmente a van prata embarcou em sua última jornada.

*

Estávamos dirigindo por um caminho sem grandes novidades.

A estrada cortava uma pequena colina e era cercada dos dois lados por encostas íngremes. No alto dos barrancos erguiam-se bétulas de troncos brancos, e, das raízes dessas árvores até o meio da encosta, o chão era coberto por uma espécie baixa de bambu, com as folhas contornadas de branco.

Era uma paisagem bastante comum em Hokkaido, nada de mais.

De repente, Satoru soltou uma exclamação e freou. Foi tão brusco que eu até escorreguei para a frente no banco.

Ei, ficou maluco?

— Nana, olhe lá!

Olhei para onde ele apontava e... Nossa!

Lá estavam três veados, com as costas pintadas de branco. Dois grandes e um pequeno. Claramente, era um filhote com os pais. O padrão das costas dos três se confundia com as cores da vegetação rasteira, em um mimetismo impressionante.

Passamos bem ao lado daqueles bichos enormes e eu nem reparei! É uma camuflagem realmente admirável.

— Eu não tinha percebido, mas consegui ver porque um deles se virou.

Um dos veados estava de costas, exibindo a mancha branca em forma de coração que tinha no traseiro. Isso ele não conseguia esconder no meio da vegetação.

— Vamos abrir a janela pra ver?

Satoru se inclinou para a janela do passageiro e apertou o botão. O vidro desceu, e o leve som mecânico, *vrrrrrr*, fez os três animais se voltarem ao mesmo tempo.

O ar ficou carregado de eletricidade.

Ah, é aquela história. Eles são do mesmo tipo de animal que os cavalos. Ou seja, se dividirmos em duas categorias, eles estão do lado da caça e não do caçador.

— Ih, assustei eles.

Satoru parou de apertar o botão da janela e observou o que acontecia. Os veados continuaram olhando para nós por algum tempo, até que de repente os pais dispararam encosta acima.

O filhote continuou nos encarando, sem piscar. Talvez ainda não fosse tão cauteloso quanto os pais.

Os pais devem ter cansado de esperar que ele os seguisse e o chamaram lá do alto. Então o filhote também correu encosta acima, exibindo o coração branco do traseiro.

— Poxa, foram todos embora... — Chateado, Satoru olhou, então, para o alto do barranco. — Mas que demais! Nunca tinha visto veados tão perto assim da estrada!

Com certeza, isso é graças a meu rabo da sorte. Acho que a ponta em forma de 7 ainda vai agarrar mais coisas legais.

Isso não demorou a se comprovar.

Estávamos diante de uma paisagem perfeitamente comum. Para além de uma colina muito suave estendiam-se montanhas também suaves, cobertas de vegetação.

A van entrou embaixo de uma tênue nuvem acinzentada e a chuva começou a cair sobre o para-brisa. Eram gotas leves, como costuma acontecer quando a chuva cai enquanto ainda está sol.

— Que legal, passamos pela fronteira da chuva!

Satoru ficou animado, mas para nós, gatos, a chuva é sempre meio deprimente. Eu queria era chegar rápido na fronteira do tempo bom.

Meu desejo logo se realizou. A chuva foi acalmando até virar só uma garoa. Chegamos na outra fronteira, e os raios de sol nos alcançaram.

Com as mãos no volante, Satoru soltou uma exclamação. Eu estava cabeceando de sono, mas ergui o rosto e olhei para ele. Satoru diminuiu a velocidade e parou no acostamento.

Na colina diante de nós estava a base de um arco-íris.

— Uau!

Isso aí, sim, é incrível! Muito mais que a fronteira da chuva.

Era um arco bem aberto, com uma base firmemente fincada na colina à nossa frente. Acompanhando sua curva, encontrei a outra base fincada em outra colina.

Era a primeira vez na vida que eu via as raízes de um arco-íris. Também devia ser a primeira vez para Satoru, que mal respirava.

Naquele momento, estávamos nós dois, juntos, vendo algo pela primeira vez.

— Vamos lá fora?

Satoru desceu da van com cuidado, como se qualquer movimento mais brusco pudesse apagar o arco-íris.

Ele me pegou no banco do passageiro e nós dois erguemos os olhos.

O arco-íris continuava lá, com os dois pés plantados no chão. Na parte mais alta, clareava um pouco, mas não se apagava em nenhum pedaço. Um arco perfeito.

Eu já tinha visto aquelas cores em algum lugar... Pensei um pouco até lembrar.

Era igual às flores que Satoru oferecera no cemitério naquela manhã. Os crisântemos silvestres, com suas tonalidades variando em cada flor, o amarelo-vivo dos solidagos e as cores dos cosmos.

Se alguém lançasse uma seda fina sobre aquele buquê, ficaria igualzinho a um arco-íris.

— Nós enfeitamos os túmulos com um arco-íris... — sussurrou Satoru.

Fiquei muito feliz ao ouvir isso. Sem dúvida, somos uma dupla perfeita.

Orgulhoso de mim mesmo, espichei a cabeça em vez de estufar o peito. E foi aí que descobri mais uma coisa incrível.

Miei olhando para o céu, até que Satoru também levantou os olhos e percebeu.

Acima daquele arco perfeito, que tinha os pés fincados no chão, havia mais um — era tênue, mas muito, muito, muito grande.

Satoru prendeu a respiração novamente. Desta vez, a voz que murmurou "uau" estava entrecortada.

Quem poderia imaginar que a gente veria uma coisa tão incrível no último trecho da nossa viagem? Que veríamos, os dois juntos, algo pela primeira vez?

Nunca vamos esquecer aquele momento.

Jamais esqueceremos os arco-íris que abençoaram o final da nossa viagem.

Continuamos ali parados até a luz do sol se espalhar por tudo ao nosso redor e as cores se dissolverem no céu.

Esta é nossa última viagem.

Ontem, ao partir, fiz um pedido: Vamos lá, ver ainda mais coisas maravilhosas nesta viagem. Vamos fazer uma aposta e basear nosso futuro na quantidade de coisas maravilhosas que conseguirmos ver.

E vimos mesmo, muitas.

Se vimos tantas coisas incríveis, se no fim, no último minuto, vimos até mesmo os pés de um arco-íris, nosso destino certamente fora abençoado.

E assim, chegamos a Sapporo e terminamos nossa viagem.

RELATO 4
Noriko Kashima

Noriko já estava acostumada com mudanças, porque em seu emprego anterior era transferida com frequência. Foi logo abrindo as caixas de papelão, começando pelos artigos de primeira necessidade. Desmontava as caixas a cada duas ou três que esvaziava, para ter espaço.

De qualquer jeito, não havia muita coisa, pois ela já tinha aprendido a não acumular móveis nem utensílios domésticos.

Da nova caixa que abriu saiu um relógio de parede, cujos ponteiros indicavam meio-dia. O gancho para pendurá-lo ainda não tinha aparecido, então ela o apoiou no sofá. Sempre que desempacotava uma mudança, pensava que na vez seguinte deveria guardar o gancho junto com o relógio, mas todas as vezes acabava esquecendo.

O celular, que ela mantinha sempre no bolso durante as mudanças, para não correr o risco de perdê-lo em meio à bagunça, vibrou. Era um e-mail.

O remetente era Satoru Miyawaki, sobrinho de Noriko Kashima. Fora deixado aos seus cuidados por sua falecida irmã mais velha e levava o sobrenome do pai.

O assunto da mensagem era "Desculpa", acompanhado de um emoticon bonitinho. Noriko não usava emoticons. Quando era mais jovem, até que tentara, pensando que talvez assim conseguisse demonstrar um pouco mais de intimidade, mas todos os seus interlocutores acharam esquisito. Assim, chegou aos cinquenta e tantos anos sem nunca se acostumar.

"Eu disse que chegaria no começo da tarde, mas parece que vou demorar um pouco mais. Desculpe por deixar você desempacotando tudo sozinha."

Ele tinha avisado que viria depois de visitar o túmulo dos pais. Talvez as reflexões no cemitério tivessem se prolongado mais do que o esperado.

Noriko escreveu "Entendi" no assunto da resposta. No corpo, digitou "Aqui está tudo bem. Tome cuidado na estrada" e enviou.

Em seguida, sentiu brotar uma inquietação. Será que tinha sido seca demais? E se parecesse que ela tinha mandado uma mensagem antipática porque estava brava com o atraso?

Abriu a mensagem recém-enviada e a releu. Tanto a dele quanto a dela eram simples comunicados, mas a de Satoru conseguia, mesmo tão curta, ser cheia de simpatia, enquanto a dela era formal e padronizada. Será que deveria ter acrescentado alguma coisa?

Começou uma nova mensagem com "P.S.", mas não conseguiu pensar em nada leve para acrescentar. Por fim, escreveu: "Não vá ficar aflito e causar algum acidente". Mas novamente, no instante em que apertou ENVIAR, sentiu que não era bom.

Ainda tentando consertar a situação, enviou uma terceira: "Fiquei preocupada com você tentando ganhar tempo e dirigindo rápido demais". Depois de enviar, percebeu que não fazia nenhum sentido, já que receber um monte de mensagens enquanto dirigia é que ia atrapalhar. Ficou desanimada.

Então o celular vibrou novamente. Era Satoru. O assunto era "hahaha". Noriko ficou aliviada na hora.

"Obrigado pela preocupação. Vou seguir seu conselho e ir devagarinho."

No final, como não poderia deixar de ser, havia um emoticon fofo, acenando um tchau.

Noriko se deixou cair no sofá, exausta com a própria incompetência.

Onde já se viu fazer seu sobrinho, mais de duas décadas mais novo, ter que consertar suas bobagens?

Pensando bem, sempre fora assim entre os dois. Sempre, desde que a irmã e o cunhado faleceram e ela ficou com a guarda dele, na época com doze anos.

A irmã de Noriko sempre fizera todo o possível para cuidar dela. Será que Noriko tinha conseguido fazer o mesmo por Satoru, a herança que recebera da irmã? Será que não tinha se limitado a sustentá--lo financeiramente? Esse questionamento nunca abandonava seu peito.

Noriko era oito anos mais jovem do que a irmã.

A mãe delas morrera quando ela era muito nova, e quando estava no primeiro ano do fundamental, o pai também faleceu. Assim, por boa parte da vida tivera a irmã mais velha como verdadeira guardiã.

Quando seu pai morreu, Noriko quis desistir de seus planos de cursar uma faculdade, mas a irmã fez questão, argumentando que, inteligente como ela era, seria um desperdício não prosseguir com os estudos. A irmã tinha começado a trabalhar na cooperativa agrícola de sua cidade natal assim que terminara o colégio. Provavelmente, já escolhera esse caminho sabendo que Noriko faria uma faculdade. Pela situação financeira da família, seria difícil que as duas filhas fizessem, mesmo se o pai ainda fosse vivo.

Noriko conseguiu, na primeira tentativa, entrar para a faculdade de direito que desejava. No mesmo ano, por coincidência, a irmã foi morar em Sapporo. Como a faculdade em que Noriko estudaria também era longe, as duas deixaram a terra natal ao mesmo tempo. Nessa ocasião, a irmã se desfez, de uma só vez, de todas as terras do pai, tanto as de plantio quanto a área que possuíam na montanha.

Achava que, se fossem vendendo em partes, o ganho seria irrisório. O valor que recebiam até então pelo uso da terra, arrendada aos agricultores da região, não era grande coisa. Vendendo tudo de uma vez, conseguiram um valor razoável, com o qual podiam custear a faculdade e os gastos de Noriko.

No começo, colocaram a casa para alugar, pois queriam manter pelo menos isso, mas, antes de Noriko terminar a faculdade, acabaram tendo que se desfazer também dela. Isso porque a irmã se casou e não quis que o sustento de Noriko pesasse sobre as finanças de sua nova família. Então, venderam a casa para cobrir as mensalidades que faltavam do curso.

— Desculpa, não consegui esperar até você se formar para me casar...

A irmã se desculpou repetidas vezes, mas Noriko sabia que o futuro cunhado já tinha esperado muito tempo, em silêncio. Ele finalmente fez o pedido pois, por causa do trabalho, teria que ir embora de Hokkaido.

Na verdade, essa era a justificativa de fachada, mas havia também outro motivo, que ninguém queria falar em voz alta. É que a família do cunhado se opunha a seu relacionamento com uma mulher que, além de não ter pais vivos, ainda precisava sustentar a irmã mais nova. Eram uma família rica e estavam convencidos de que a moça só tinha se aproximado dele pelo dinheiro, que a tiraria das dificuldades.

Os pais dele insistiam em organizar encontros formais com outras pretendentes, para tentar separar o filho da namorada, e os dois não suportavam mais a pressão.

Que bom que ele não cedeu às vontades da família e não desistiu da minha irmã! Noriko sentia apenas gratidão por ele. Jamais pensou em se opor ao casamento.

— Mas... não é melhor a gente manter pelo menos a casa?

Elas tinham colocado a casa para alugar para que não ficasse abandonada, mas Noriko sabia que a irmã gostaria de voltar a morar lá algum dia.

— Só falta um ano para eu me formar, e depois disso vou receber um salário do estágio...

O rosto da irmã se anuviou.

— A verdade é que não estou mais conseguindo encontrar quem queira alugar a casa. Já está bem velha... O inquilino de agora disse que se a vendermos, ele gostaria de comprá-la e fazer as melhorias necessárias. Senão, vai sair de lá. E as condições que ele propôs não são ruins... Nós duas vamos morar longe de Hokkaido, não dá para manter uma casa vazia. Se nós mesmas providenciarmos a reforma, talvez apareçam outros inquilinos, mas isso fica apertado demais para nosso orçamento. Uma casa sem moradores não aguenta a neve do inverno.

Foi só então que Noriko percebeu que até então vivia confortavelmente às custas da irmã, sem ter noção da situação real.

A irmã era mais apegada que Noriko à casa em que cresceram, mas foi obrigada a vendê-la por causa dela. E, mesmo assim, jamais reclamou, até o fim da vida.

Noriko desejava poder retribuir, algum dia, tudo que recebera da irmã, mas ela se foi cedo demais, junto com o marido.

Por isso mesmo Noriko sabia que o mínimo a fazer era cuidar muito bem de Satoru, o menino que ficou órfão. Sempre foi essa sua intenção. Mas talvez tivesse fracassado até mesmo nisso.

Desculpe, minha irmã.

Sei que não pude fazer Satoru feliz.

Muito pelo contrário, só o faço se preocupar e ter que fazer cerimônia, até nas menores coisas. Como mandar mensagens com "hahaha". Era só uma mensagem brincalhona, mas transparecia o cuidado afetuoso característico do sobrinho.

Morando com a tia, ele sempre foi uma criança madura, obediente e cuidadosa. Mas será que essa era sua personalidade verdadeira?

A irmã costumava reclamar que o filho era travesso e que dava muito trabalho. Dizia isso rindo, feliz.

E, de fato, enquanto os pais estavam vivos, Satoru era uma criança agitada. Quando Noriko ia visitar a família, ele fazia muito charme, com o ar despreocupado das crianças que sabem que são queridas. Grudava nela, "titia, titia", às vezes fazia birra e armava cenas.

Seu comportamento era infantil como o de qualquer criança. Mas, depois que foi morar com Noriko, nunca mais teve caprichos. Talvez isso não fosse apenas por ter perdido os pais tão cedo e amadurecido à força. Talvez ela é que o tivesse forçado a agir assim.

Depois do primeiro erro, ela nunca mais soube o que fazer para se reaproximar de Satoru. E ele sempre teve que disfarçar para encobrir a distância que havia entre os dois.

Pelo menos agora, no final, Noriko queria que ele se sentisse à vontade para viver ali. Desejava isso do fundo do coração, e no entanto não conseguia lidar direito nem com uma simples troca de mensagens.

O mínimo que posso fazer, pensou Noriko, levantando-se do sofá, *é arrumar tudo até ele chegar. Posso ser ruim nas sutilezas das relações interpessoais, mas, desse tipo de serviço, até alguém intratável como eu consegue dar conta.*

* * *

Satoru chegou ao apartamento pouco antes das três horas.

— Desculpe a demora, tia.

— Não tem problema. É mais fácil fazer as coisas sozinha, mesmo.

Ela só queria reforçar que ele não precisava se preocupar — achava até que estava exagerando na simpatia —, mas percebeu a mancada ao ver a expressão constrangida do sobrinho.

Dizer uma coisa dessas, sendo que os dois iam morar juntos a partir de agora, só dava a impressão de que ela preferia vê-lo longe.

— Não que eu ache ruim que nós vamos morar juntos! Afinal, eu sou sua guardiã — acrescentou, aflita.

Mas também era melhor não ter dito isso. Tentando consertar a situação, ela falava cada vez mais rápido:

— Agora só faltam as suas coisas, que eu coloquei no seu quarto. De resto, já está quase tudo arrumado, então não precisa me ajudar.

Ao ver que Satoru a encarava com os olhos arregalados, percebeu que estava tagarelando sozinha.

— Desculpa. Eu continuo igual.

Desanimada, Noriko deixou cair os ombros. Satoru riu baixinho.

— Que bom que você não mudou, tia. Para falar a verdade, eu estava um pouco apreensivo, porque já faz treze anos que saí de casa... — Então ele apoiou no chão a caixa de transportar animais que trazia a tiracolo. — Nana, esta é nossa nova casa!

Assim que ele abriu a portinha da caixa, um gato saiu lá de dentro. Tinha duas manchinhas na testa, como o ideograma do número 8, o rabo preto e torto, e o resto do corpo totalmente branco.

Noriko teve a impressão de que era a mesma pelagem do gato que eles precisaram doar quando ela o adotou.

O gato saiu farejando, desconfiado, todos os cantos da sala.

— Sinto muito por você ter que acomodar Nana também — disse Satoru, chateado. — Eu pretendia dar um jeito nisso antes de vir para cá, vários amigos se dispuseram a ficar com ele, mas no fim não consegui um novo dono.

— Não tem problema!

— Mas você teve até que se mudar para um apartamento que aceitasse gatos...

Satoru prometera achar um novo dono para Nana antes de entregar o apartamento de Tóquio, mas, como ele não conseguiu, Noriko teve que sair do apartamento em que morava, onde era proibido ter animais.

Ao menos o novo apartamento ficava em um lugar mais conveniente para Satoru frequentar o hospital.

— Ah, Nana! Olha que coisa bacana que tem aí!

Satoru sorria para o gato. Noriko viu que Nana cheirava uma caixa de papelão vazia, que ela tinha esquecido de dobrar.

— O que tem de bom nisso aí?

Para ela, não passava de uma caixa de papelão.

— Os gatos adoram se enfiar em caixas e sacolas de papel vazias. Também gostam de cantinhos apertados.

Satoru se agachou para brincar com o bichinho. Seu pescoço, magro e seco como o de um velho, nadava no meio do colarinho.

Ele ainda é tão jovem...

Noriko sentiu uma pontada no fundo dos olhos e correu para a cozinha.

Pela ordem das coisas, ela deveria partir duas décadas antes de Satoru. Por que ele?

"Desculpa, tia."

Ela se lembrava bem do dia em que recebera aquele fatídico telefonema. Satoru descobrira um tumor durante um exame de rotina. Teria que fazer uma cirurgia de emergência e precisava que ela formulasse um termo de consentimento.

Noriko saiu correndo desesperada para Tóquio e ouviu os detalhes no hospital. Não havia um único aspecto na explicação do médico que pudesse ser visto com otimismo. Conforme ele falava, suas esperanças iam se desfazendo uma a uma.

Satoru enfrentou a mesa de cirurgia o mais rápido possível, mas não adiantou. A doença já estava espalhada por todo o corpo. Restou aos médicos apenas fechar o corte que haviam aberto.

A expectativa de vida era de um ano.

No quarto do hospital, depois da cirurgia abortada, Satoru sorriu sem jeito, repetindo:

— Desculpa, tia.

— Por que você está se desculpando? — retrucou ela, quase como uma bronca.

Satoru disse mais um "desculpa", depois quase se desculpou mais uma vez pelo segundo pedido de desculpas. No fim, apenas riu, atrapalhado.

E agora? As opções não eram muitas.

Decidiram que Satoru ia pedir demissão, sair de Tóquio e ir morar com Noriko. Se no fim ele precisasse ser internado, a tia poderia cuidar dele.

Noriko era juíza em Sapporo, mas abandonou o cargo para recebê-lo, pois o trabalho a obrigava a se mudar com frequência e ela corria o risco de ser transferida quando Satoru já estivesse na fase terminal. Por intermédio de um colega de turma, ela conseguiu um novo emprego, em uma firma de advocacia.

Satoru se sentiu culpado por tê-la feito trocar de emprego, mas, de qualquer maneira, Noriko já pensava em voltar a trabalhar como advogada depois da aposentadoria. Ela só tinha adiantado um pouco o plano.

Em vez de ser um transtorno, a mudança fez Noriko se arrepender de não ter feito aquilo antes, isto é, quando ganhou a guarda de Satoru. Se era para sair do cargo agora, poderia já ter saído naquela época. Em vez disso, ela tinha forçado Satoru, naquela idade tão suscetível, a se mudar tantas vezes... Cada vez que ele conseguia fazer novos amigos e começava a se habituar com uma região, ela o arrancava de lá.

Se no fim ele deixaria este mundo ainda tão novo, ela deveria ter permitido que vivesse sua juventude alegremente, sem dificuldades.

Tentando conter as lágrimas que ameaçavam cair, Noriko fingia estar empenhada em arrumar a cozinha quando Satoru a chamou.

— Tia, podemos deixar esta caixa aqui, em vez de jogar fora? Nana gostou dela!

— Claro, mas quando ele cansar, jogue fora logo — respondeu Noriko, esforçando-se para disfarçar a voz embargada. — Foi fácil achar a vaga?

Ela tinha alugado uma vaga na garagem do prédio, para que Satoru estacionasse a van. Para o próprio carro, ela alugara uma vaga em um estacionamento próximo.

— Foi. É a número sete, na ponta, certo? Você pegou a vaga sete de propósito, tia?

Pelo jeito, ele havia ficado contente que o número da vaga combinava com o nome de Nana.

— Não, só achei prática por não ter ninguém ao lado. — Essa era a verdade, mas depois Noriko pensou que talvez fosse o caso de responder que sim, mesmo que fosse mentira. Ela nunca se dava conta dessas coisas antes de falar. Esse era o problema. Ainda se censurando por isso, fez uma pergunta qualquer: — Então o nome do Nana é por causa do número sete?

— É, por causa do rabo torto dele, que parece um 7! Olha só.

Satoru foi pegar o gato, mas Nana tinha se escondido em algum canto.

Então...

— UUAAHHH!

Noriko berrou como uma maluca. Alguma coisa macia tinha roçado suas panturrilhas.

A panela que ela tinha nas mãos caiu no chão com grande estardalhaço, fazendo o gato voar para longe de suas pernas com um chiado de susto e correr até o dono.

Satoru riu alto e o pegou no colo. Pelo jeito, estava se divertindo com o grito da tia.

— Desculpa — disse ele, chorando de rir — por fazer você morar com um gato mesmo não gostando.

— Não é que eu não goste. Só não me entendo muito bem com eles — defendeu-se ela.

Quando era criança, Noriko tentara resgatar um gato de rua e levou uma mordida bem feia na mão direita. A mão inchou até dobrar de tamanho. Desde então, Noriko não lidava muito bem com gatos.

De repente se deu conta: desde quando Satoru sabia disso?

— Mas não foi por isso que eu não fiquei com seu gato quando você era criança, viu?

— Claro, eu sei.

Quando Satoru foi morar com ela, teve que se desfazer do gato por causa do seu trabalho, que a forçava a mudar de cidade com frequência. Ela geralmente morava nos apartamentos providenciados pelo emprego, e quase todos os prédios proibiam animais de estimação. Se levassem o gato, a cada mudança ela teria que procurar um apartamento por conta própria e pagar o aluguel.

Contudo, se ela gostasse de gatos, talvez tivesse feito um esforço. Se gostasse de qualquer animal, talvez compreendesse melhor a tristeza de uma criança ao ser separada de seu bicho de estimação.

Anos depois, Satoru tentou fugir do hotel no meio da noite, durante uma excursão para Fukuoka. Ele e um amigo foram pegos na estação. Os professores lhes deram uma reprimenda severa e ligaram para o responsável de cada um. Noriko sentiu o peito apertar ao receber a ligação.

Será que ele estava tentando ir encontrar aquele gato de quem tinha se separado? O parente que o adotara morava em Kogura, era próximo de Hakata se usassem o trem-bala. Satoru tinha mencionado uma vez, timidamente, que gostaria de ir ver o gato, mas ela negou o pedido alegando estar muito ocupada. Para ela, o assunto do gato já estava encerrado. Já haviam encontrado um bom dono, em quem podiam confiar, e ela não via necessidade de ir até lá ver como ele estava.

No fim, disseram que Satoru tinha fugido para acompanhar um amigo. Seu coração se agitou novamente ao ouvir os detalhes: o amigo queria ir visitar um lugar no qual tinha passado bons momentos junto com os pais já divorciados.

Talvez Satoru sentisse algo semelhante. Era um menino muito comportado, então era inesperado que ele fizesse uma coisa daquelas durante a excursão, por mais próximo que fosse esse amigo.

Noriko chegou a perguntar, nessa ocasião, se Satoru queria que ela o levasse para ver o gato, mas ele disse que não precisava. Disse que aquilo não tinha nada a ver com o gato.

Diante disso, ela não insistiu mais, e acabaram nunca visitando o gato.

Ele morreu quando Satoru estava no colégio, e o sobrinho usou todo o dinheiro que tinha ganhado trabalhando durante o verão para visitar seu túmulo.

Noriko ficou inquieta. Realmente, deveria tê-lo levado enquanto o gato ainda era vivo.

— Naquela época eu não entendi muito bem quanto você gostava do gato. Desculpa. Devia ter feito, naquela época, isso que fiz agora…

— Tudo bem, o importante é que Hachi foi bem cuidado até o fim da vida. Graças a você, que encontrou alguém para ficar com ele.

Satoru agradou Nana, que estava em seu colo.

— Já Nana recusou todos os pretendentes que consegui… Muito obrigado por deixá-lo vir comigo. Foi nossa salvação. — Ele virou a cabeça do gato para Noriko: — Nana, agradeça à minha tia!

*

Pode me mandar agradecer à vontade, mas eu continuo bravo, viu?

Essa Noriko é muito indelicada! Pensei que, como a gente vai morar aqui com ela, era melhor fazer amizade, então fui cumprimentá-la.

Falando como gato, roçar nas pernas da pessoa é o cumprimento mais amistoso possível! E ela me responde com um grito? Faça-me o favor.

Parecia que tinha visto um fantasma no meio da noite!

Vou fazer vista grossa só porque ela está sendo gentil nos recebendo aqui…

Foi assim, com um tropeço considerável na largada, que começou nossa vida nova com Noriko.

Ela não entendia absolutamente nada sobre gatos, então levamos algum tempo até estabelecer uma distância apropriada.

— Bom dia, Nana.

Noriko se esforçava, a seu jeito, para se acostumar comigo. Ela me dava bom-dia e estendia a mão, mesmo temerosa, para… mexer justo no meu rabo! Mas que ideia!

Só pessoas de muita confiança podem encostar no meu rabo, viu? Normalmente, eu atacaria sem misericórdia, mas, por respeito à dona da casa, me limitava a me esquivar e fazer cara feia.

Achei que com essa reação ela ia se ligar, mas não adiantou. Toda vez que vinha mexer comigo, a mulher mirava direto no meu rabo.

Felizmente, certa manhã Satoru viu isso acontecer.

— Ih, tia, você não pode ir mexendo no rabo de um gato desse jeito! Olhe a cara dele, está achando ruim.

— Onde é melhor eu mexer, então?

— Melhor começar pela cabeça. Atrás da orelha, por exemplo. Depois, quando ele se acostumar, pode ser embaixo do queixo também.

Ainda com a escova de dente na mão, Satoru afagou minha cabeça nos pontos e na ordem em que dissera.

— Cabeça, atrás da orelha, embaixo do queixo...

O que vocês acham que Noriko estava fazendo enquanto recitava isso? Pois saibam que ela estava anotando, meus amigos!

— "Não mexer no rabo"...

Pelo amor de Deus, alguém tome alguma providência! Se bem que aqui só tem Satoru...

— Precisa mesmo anotar tudo? — perguntou ele, rindo.

— É que eu não posso esquecer — respondeu Noriko, na maior seriedade.

Ai, ai, ai, mas a senhora realmente é uma pessoa desajeitada demais, hein?

— Acho que você aprenderia melhor brincando com ele.

— É que... é tão perto da boca!

O que é que tem, ser perto da boca?

— E se ele me morder?

Mas que indelicadeza! Dizer uma coisa dessas para um cavalheiro como eu, que não revido nem mesmo quando você mexe no meu rabo sem permissão? E não foi só uma ou duas vezes.

Eu devia era morder você por sugerir isso sobre mim!

— Fique tranquila, pode tentar que não tem perigo.

Incentivada por Satoru, Noriko esticou a mão devagarinho, receosa. Sem brincadeira, eu achei mesmo que ela merecia uma mordida pelo que tinha dito, mas aguentei firme, como o gato maduro que sou. Mereço parabéns, não acham?

Bom, pelo menos assim eu entendi por que ela sempre mirava direto no rabo. Na avaliação dela, era a melhor opção, por ser o mais longe da boca. Só que, na verdade, a reação dos animais deste mundo quando alguém mexe no seu rabo ou nas suas costas é muito mais rápida do que quando alguém se aproxima pela frente.

— Como ele é macio!

Pois é. Muito me orgulha saber que minha pelagem é macia como veludo.

— Veja, ele está gostando.

A bem da verdade, o cafuné da Noriko era meio desajeitado, não era muito gostoso, não, mas estou disposto a fingir contentamento em prol de seu aprendizado. Inclusive porque, se ela continuar querendo pegar meu rabo todo dia, vou ficar maluco.

— Ai, credo! — gritou Noriko, tirando a mão.

Eu também encolhi o corpo, assustado. O que foi desta vez?

— A garganta dele… estava vibrando! Que aflição!

Não é possível, é uma gafe atrás da outra! Eu estava ronronando para ser gentil, mesmo com esse carinho fajuto.

— Isso é normal. Quando ele acha gostoso, ele ronrona.

Na teoria. Não esqueça que, nesse caso, estou ronronando apesar de meu extremo desconforto, o que demonstra minha magnânima generosidade.

— Então, quando dizem que os gatos fazem "ronrom", é a garganta deles vibrando desse jeito?

— O que você achava que fosse?

— Achei que eles dissessem isso, com a boca.

Fazer "ronrom" com a boca? Você é idiota ou o quê?

Opa, o choque foi tamanho que deixei escapar esse linguajar chulo. Perdão.

Noriko parou com os afagos, então eu também parei de ronronar e pulei graciosamente para dentro da caixa de papelão no canto da sala. Essa caixa, que Satoru deixou na sala depois da mudança, era muito boa, do tamanho certinho para deitar.

— Satoru, até quando a gente tem que deixar essa caixa largada aí?

— Só mais um pouco. Nana gostou muito dela.

— Acho meio desagradável, parece que a gente nunca terminou de arrumar as coisas. Até comprei uma caminha e uma torre especiais para gatos!

É que a caixa é diferente da cama e da torre…

Assim, de seu jeito canhestro e assustado, Noriko foi se acostumando com o estilo de vida dos gatos.

— O que você acha? — perguntou ela certo dia.

Trazia nas mãos o que parecia um substituto para a caixa de papelão da mudança, já em estado lamentável, de tanto eu afiar as unhas.

Era uma caixa de encomenda on-line que ela tinha desmontado, reconstruído em um formato mais largo e mais baixo e reforçado toda com fita adesiva.

— Esta aqui é mais nova e mais espaçosa. E eu fiz com camadas duplas, para resistir às unhas do Nana. E aí, vamos jogar fora a caixa velha? Já está toda arredondada, no formato de quando Nana deita.

— Hum, será?

Satoru sorriu meio sem jeito e me olhou de relance: Que tal?

Eu respondi com um bocejo: Não me animei nadinha.

Essas caixas espaçosas não têm graça nenhuma. Com elas, a gente não sente o verdadeiro prazer de entrar em uma caixa.

Ignorei a obra tão elaborada de Noriko e entrei na caixa velha. Ela pareceu desapontada. Satoru sorriu e tentou consertar:

— Acho que é melhor não fazer nenhuma adaptação… Quando chegar alguma caixa nova, experimente só colocá-la no chão do jeito que estiver.

— Poxa, eu me esforcei tanto…

Esse tipo de esforço é meio inútil, viu? Todos os gatos deste mundo decidem por conta própria do que gostam ou não. A probabilidade de um presente fazer sucesso é baixa.

Por algum tempo a caixa de Noriko continuou, pesarosa, ao lado da velha. Até que foi parar no lixo reciclável.

Satoru começou a ir ao hospital com frequência. Ficava bem perto, dava até para ir a pé, mas Satoru saía de manhã cedo e só voltava no fim da tarde. Talvez fosse muito cheio lá, ou talvez os exames e tratamentos tomassem muito tempo.

Seu braço direito foi ficando cheio de marcas de agulha, com uns hematomas arroxeados que não sumiam. Depois de um tempo, o mesmo aconteceu com o esquerdo. Achei incrível que Satoru estivesse aguentando tudo aquilo... Eu já fico passado com a única injeção de vacina que tomo uma vez por ano.

Entretanto, por mais que ele fosse ao médico, o cheiro de Satoru não mudava. Continuava o mesmo "cheiro de quem não tem mais muito tempo", como já disseram tantos gatos e cachorros. E era cada vez mais intenso.

Não há no mundo criatura que consiga se recuperar depois de chegar a esse cheiro.

De vez em quando, Noriko chorava escondido. Só eu sei disso. Ela tomava muito cuidado para nunca chorar na frente do sobrinho, mas parecia não ter vergonha de gatos.

Ela não gritava mais quando eu roçava em suas pernas. Agora, mostrava gratidão, afagando meu pescoço.

A cidade estava toda branca, coberta pela neve. No meio, as sorveiras ardiam ainda mais vermelhas, como um metal sendo forjado pela intensidade do frio.

— Nana, vamos dar uma volta?

Já era óbvio que Satoru estava muito fraco, tanto é que, depois de voltar do hospital, ele acabava dormindo direto, até cair a noite. Mesmo assim, nunca deu sinal de querer parar com os nossos passeios.

Estava frio e era difícil caminhar, mas saíamos todos os dias, a não ser quando ele ia ao hospital ou quando havia uma nevasca.

— É nosso primeiro inverno no país das neves, né, Nana?

O toque escorregadio do chão gelado nas minhas patas. Os pingentes de gelo pendendo dos telhados. A neve que era retirada das ruas e se acumulava à margem do caminho como um mil-folhas.

Os pardais enfileirados nos fios elétricos, com as plumas eriçadas, redondos como bolinhas. Os cachorros que, bufando, abriam túneis na neve empilhada nos parques. Os gatos de rua, habilmente entranhados em pequenos vãos onde se protegiam do frio.

Ainda havia muitas coisas para nós dois vermos pela primeira vez.

— Ora, mas que gatinho mais lindo! Estão passeando?

Estávamos no parque, em um dia de céu brilhante e límpido, quando uma senhorinha graciosa puxou conversa.

— Como ele se chama?

— Nana, porque ele tem o rabo torto no formato de um 7.

Satoru continuava sendo o mesmo gateiro de sempre, do tipo que explica para todo mundo a origem do nome que deu.

— Ele deve ser muito especial, para passear assim com você.

— Ele é!

Depois de se despedir da senhorinha, Satoru me pegou no colo.

— Você é muito especial, então vai continuar sendo um bom menino, não vai?

Por acaso já teve algum momento em que eu não fui um bom menino? Achei meio indelicada essa sua necessidade de confirmar isso.

A cidade foi tomada pelas luzes de Natal e a televisão mostrava uma infinidade inacreditável de propagandas temáticas. Na noite de Natal, Satoru e Noriko dividiram um pequeno bolo e eu ganhei um sashimi de atum. A partir do dia seguinte, o tema passou a ser o Ano-Novo.

No primeiro dia do novo ano me serviram peito de frango. Porém, depois de cheirar o prato algumas vezes, virei as costas e chutei areia para cima da comida. Areia simbólica, é claro, porque ali não tinha da verdadeira.

— O que foi, Nana? Não vai comer? — perguntou Satoru, confuso.

Olha, eu adoraria, mas é que esse frango está com um cheiro muito suspeito.

— Tia, o frango do Nana é o mesmo de sempre?

— Como é Ano-Novo, eu esbanjei um pouco! Comprei galinha caipira, nacional. Cozinhei no vapor e tudo.

— E você botou algum tempero?

— Joguei um pouquinho de saquê para tirar o cheiro ruim…

Ah, então foi você quem adulterou esse frango!

— Desculpa, acho que Nana não vai conseguir comer, por causa do cheiro da bebida…

— Jura? Foi só um pouquinho!

— É que os gatos têm um olfato muito bom.

— Não são os cachorros que têm olfato bom? Dizem que é seis mil vezes melhor que o do humano.

Noriko não é má pessoa, mas acha que entende das coisas só porque tem conhecimento, mas fica só na teoria. Eu sei que os cachorros é que são famosos pelo faro apurado, mas isso não quer dizer que o faro dos gatos seja ruim. Além do mais, não é preciso um olfato seis mil vezes melhor do que o do humano para saber se um pedaço de frango cheira a saquê.

— Os gatos também são muito mais sensíveis que os humanos.

Satoru foi até a cozinha, trouxe em um prato limpo o filezinho de frango de sempre, meu velho conhecido, e levou embora o adulterado.

— Vou comer este que está com saquê junto com minha sopa *ozoni*.

Noriko soltou um suspiro.

— Antes de Nana vir para cá, eu jamais imaginaria que alguém comesse os restos de comida de um gato...

— Não é tão estranho quando você tem um em casa. E isso aqui não é resto. Nana nem encostou na carne! Tá tranquilo.

Ele colocou o frango na tigela de sopa.

— Não vá dizer por aí que eu lhe sirvo comida que nem o gato quis comer, hein? Imagine o que vão pensar.

— Acho que se eu dissesse para alguém que tenha gato a pessoa entenderia.

Os dois se cumprimentaram com um "feliz Ano-Novo" e começaram a tomar a tradicional sopa de legumes e arroz.

— Faz só três meses que vivo com um gato, mas eles são criaturas muito estranhas.

Opa, mal começou o ano e já estou sendo lisonjeado, é? Que comentário mais ultrajante!

— Aquela caixa, por exemplo...

A caixa da mudança continuava no canto da sala. Noriko vivia resmungando que queria jogá-la fora antes de terminar o ano.

— A nova parecia muito mais confortável.

Ah, você achou, foi? Que pena, mas não é assim que as coisas funcionam.

— E outra coisa: por que é que ele sempre tenta se enfiar em caixas que claramente são pequenas demais? Eu achava que, só de olhar, ele já perceberia que não dá.

Ei, agora você pisou no meu calo.

— Outro dia ele veio tentar enfiar a pata em uma caixinha vazia de bijuteria!

— É, eles fazem isso, mesmo! — concordou Satoru, entusiasmado. — Pode ser uma caixa minúscula, de relógio de pulso, mas eles sempre experimentam pelo menos colocar a pata.

Sobre isso, só posso dizer que é o instinto.

Todos os gatos deste mundo vivem procurando uma boa frestinha por onde se esgueirar. Então, quando nos deparamos com a abertura de uma caixa, não dá para ignorar o instinto. Como eu vou saber se ela não tem algum truque, se não vai esticar quando eu puser a pata? Porém, admito que até hoje essa expectativa só deu em frustração.

Se bem que eu ouvi falar de um gato, em algum país estrangeiro, que vivia procurando uma porta que o levasse para o verão...

— Desculpe, já estou satisfeito.

Satoru pousou os *hashi* na mesa sem terminar de comer. Noriko fez uma cara triste por um instante. Ela tinha colocado apenas um *mochi* na tigela do sobrinho, e ele também quase não tinha tocado em seu *osechi*, um combinado luxuoso encomendado em um restaurante.

— Estava ótimo. O *ozoni* da minha mãe também sempre tinha inhame, ervilha-torta e cenoura. Sua comida parece a dela.

— É que, para mim, a comida da minha irmã é o sabor da infância.

— Quando fui morar com você, eu fiquei aliviado ao ver que a comida parecia a dela. Acho que foi por isso que consegui me adaptar logo na sua casa. — Satoru sorriu alegremente. — Fico feliz que tenha sido você quem me acolheu, tia.

Noriko soltou uma pequena exclamação de surpresa e correu os olhos pelos cantos da sala, como se não soubesse para onde voltá-los. Por fim, baixou o rosto e murmurou:

— Eu não fui tão boa assim. Certamente outra pessoa teria sido melhor...

Satoru repetiu, ignorando o que a tia dizia:

— Que bom que foi você quem me acolheu.

Noriko fez um som esquisito na garganta, que nem um sapo. Quem foi mesmo que ficou com nojo da minha garganta quando eu ronronei, hã? A sua também faz uns barulhos bem desagradáveis.

— Falei uma coisa daquelas, logo que você foi morar comigo...

— Ué, eu ia descobrir cedo ou tarde. Você não fez nada errado.

— Mas... — sussurrou ela, cabisbaixa, fungando.

Sua garganta fez o som de sapo mais algumas vezes, entremeado por pequenos pedidos de desculpas.

— Eu não devia ter dito aquilo, aquele dia — murmurou por fim, com a voz entrecortada.

*

Quando recebeu a notícia da morte da irmã e do cunhado, Noriko foi ao funeral determinada a se tornar a guardiã legal de Satoru, apesar de ser solteira.

Sua irmã tinha partido sem que Noriko conseguisse sequer começar a retribuir tudo o que recebera. Agora ela queria, pelo menos, cuidar de Satoru. Queria fazer todo o possível por ele, que era o que a irmã tinha de mais precioso no mundo.

A família de seu cunhado participou apenas formalmente do funeral e foi embora sem mencionar a questão da guarda de Satoru. Certamente, para eles o menino não passava de um filho dos outros. Considerando a forma terrível como sempre trataram a irmã de Noriko, era de esperar que agissem assim.

Dentre os parentes do seu lado da família que ficaram após o funeral, não havia ninguém realmente disposto a acolher Satoru. Noriko disse que iria adotá-lo, mas algumas pessoas ficaram apreensivas e disseram que ela, sendo solteira, não precisava fazer isso. A maioria concordava em enviá-lo para uma instituição.

— Satoru é filho da minha irmã. Se ele não tivesse nenhum parente, eu entenderia, mas seria negligência colocá-lo em uma instituição havendo um familiar com condições de adotá-lo.

Noriko achou que tinha escolhido a forma mais apropriada de dizer isso, mas os parentes ficaram incomodados. Soube, mais tarde, que os tios andavam dizendo que ela não media as palavras e que era por isso que, naquela idade, ainda não arranjara um marido.

Eles tinham a experiência dos anos: não estavam enganados sobre a dificuldade de Noriko para medir as palavras.

Encerradas as cerimônias do funeral e resolvidas as questões dos bens, Noriko anunciou que estava decidida a assumir a guarda de Satoru. Foi nessa hora que disse ao menino:

— Mesmo se eu não falar nada, você vai descobrir mais cedo ou mais tarde, então acho melhor contar logo: você não é filho biológico de seus pais.

Ele vai saber em algum momento, então dá na mesma já contar agora. Afinal, fatos são fatos, foi o que Noriko pensou. Mas, assim que viu a expressão de Satoru, soube que tinha sido um erro.

O rosto do menino ficou sem expressão. Seus olhos vazios denunciavam, melhor do que qualquer coisa, o tamanho do choque que ele recebera.

Era a mesma expressão que ele tinha quando Noriko o encontrou após a morte dos pais. Estava parado ao lado dos dois caixões, com os olhos vazios de quem perdeu tudo o que tinha no mundo.

Por pior que fosse a percepção de Noriko, ela soube imediatamente: em apenas um instante, destruíra o mundo de Satoru pela segunda vez.

Satoru finalmente tinha chorado ao encontrar o amigo no velório. Desde então, vinha se recobrando pouco a pouco.

E agora Noriko fizera algo irreparável. A consciência disso fez com que ela se sentisse sufocar.

— Então quem são meus pais de verdade?

— Seus pais "de verdade" são minha irmã e meu cunhado! O termo correto é "pais biológicos".

Apesar de Satoru não ter feito nada de errado, Noriko respondeu como quem dá uma bronca. Sua cabeça estava enevoada, impedindo--a de medir as palavras.

Os pais verdadeiros de Satoru eram a irmã dela e o marido. Os pais biológicos apenas o colocaram no mundo. Os irresponsáveis o largaram por aí, e ele quase morreu por isso.

Foi o primeiro caso grande que Noriko julgou. Eram dois pais jovens, em um caso de abandono infantil grave, já que fora parar na Justiça. Quase poderia ser chamado de homicídio. Eles deixaram o bebê passar fome e, quando ele estava tão fraco que nem conseguia mais chorar, embrulharam-no em uma sacola plástica e tentaram deixar a sacola na rua para ser recolhida pelo lixeiro. Felizmente, um vizinho achou estranho que a sacola estivesse se mexendo e a abriu, encontrando o bebê. O sujeito interpelou os pais, que então o agrediram, acrescentando outra ofensa a seu rol de crimes.

No final do julgamento, os pais receberam a sentença dura que mereciam, mas não havia destino para Satoru. Os parentes de ambos os lados da família se recusavam a criá-lo. A única opção era colocar o menino em um orfanato.

Noriko não ficou satisfeita com a conclusão do caso. Conseguiu a pena severa que o crime pedia, mas o futuro daquela criança inocente fora roubado.

Era para a irmã que ela confidenciava esses seus sentimentos de desesperança. A irmã tinha acompanhado todo o desenrolar do processo, sabendo que era o primeiro caso grande de Noriko. Repetia com frequência, espumando de raiva, que as pessoas deveriam ter que tirar habilitação para se reproduzir.

Se todos os casais com filhos fossem iguais a você e seu marido, não aconteceria esse tipo de tragédia!

Quando deixou escapar esse comentário, Noriko sentiu um frio na espinha. Depois de se casar, sua irmã havia descoberto que não podia ter filhos, e a família de seu marido os pressionava sem misericórdia para que gerassem herdeiros. O marido se afastou deles por isso, mas mesmo assim a questão continuava a entristecê-la.

Pouco tempo depois dessa conversa, ela disse a Noriko que gostaria de adotar Satoru. Por pouco ele não foi enviado para um abrigo.

— Foi graças a você, que falou que seríamos bons pais — disse, sorridente, a irmã. — Já estávamos considerando adotar uma criança há algum tempo. Graças a você, decidimos seguir com este plano. E, se vamos adotar, pensamos que este bebê, com o qual você já tem um vínculo, seria a melhor opção.

Noriko demorou para conseguir responder. A família do cunhado não aceitaria calada.

Tentou abordar a questão indiretamente:

— O que seu marido achou da ideia?

— Eu não estaria lhe contando isso se ele não tivesse concordado. Ele também acha que é melhor adotarmos essa criança, da qual você já é próxima. — Ela riu alto e continuou: — Mas se continuarmos assim, vamos ser criticados a vida toda por não termos filhos. Então o melhor é fazer o que a gente quiser, e pronto.

No dia do funeral, Noriko continuou:

— Seus pais biológicos só geraram você, Satoru. Seus pais verdadeiros são minha irmã e meu cunhado. Por isso, agora é meu dever cuidar de você.

O que Noriko queria dizer era que ele não precisava fazer cerimônia, mas a palavra "dever" soou ríspida.

— Você não precisa se preocupar com nada.

Experimentou acrescentar isso, mas não serviu para suavizar o "dever" que tinha deixado escapar. Pelo contrário, talvez até soasse como se ela estivesse mandando que ele se preocupasse.

Os tios estavam certíssimos ao censurar Noriko por não medir as palavras. Sua vida com Satoru mal havia começado e ela já tinha dito uma quantidade assombrosa de coisas que não se deve dizer a uma criança.

Por isso é que ela não conseguia se casar, acusavam eles. E essa crítica também se provou correta. Naquela época, ela tinha um namorado, mas o relacionamento acabou pouco tempo depois que ela adotou Satoru.

O fato de ela ter adotado uma criança sendo solteira foi o principal motivo, mas o que realmente incomodou o namorado foi ela ter tomado a decisão sem conversar com ele.

Quando o namorado lhe perguntou por que não havia discutido o assunto com ele, Noriko respondeu que o sobrinho era dela e que por isso não vira necessidade de pedir a opinião dele.

Naquele instante, ela viu o rosto do homem se fechar. Mais alguma sutileza havia escapado a ela.

As nuances dos sentimentos das pessoas eram matéria muito mais difícil de dominar do que a Lei e o Direito.

Ficou decidido que o gato de Satoru seria adotado por um familiar.

Era um parente distante, com quem Noriko não tinha muita intimidade, mas quando ele veio buscar o gato, afagou com vontade a cabeça de Satoru.

— Pode ficar tranquilo! Lá em casa todo mundo adora gatos. Ele vai ser muito mimado.

O rosto de Satoru se iluminou e ele assentiu com entusiasmo. Desde a morte dos pais, Noriko nunca o tinha visto sorrir daquela maneira.

Esses parentes mandavam fotos do gato de vez em quando. Com o tempo, as cartas foram ficando menos frequentes, mas os cartões de Ano-Novo sempre vinham acompanhados de uma foto do gato e de notícias dele: "Hachi continua firme e forte!".

Eles também avisaram quando o gato faleceu, e, quando Satoru foi visitar o túmulo, o receberam com grande hospitalidade.

Não teria sido melhor para Satoru ser adotado por aquela família? Até hoje, Noriko se perguntava isso. No funeral, quando todos hesitavam em acolher aquela criança com a qual não tinham relação de sangue, aquele homem tinha sido o único a dizer que "adoraria ajudar, se tivesse condições um pouco melhores". Ele já tinha quatro filhos, coisa rara hoje em dia. Sorriu envergonhado. "Sabe como é, o dinheiro..."

Eles poderiam ter ficado com a guarda de Satoru e contado com o auxílio de Noriko para as despesas escolares. Era uma opção. Será que Noriko não tinha ficado com Satoru só por ego, agarrando-se ao menino como uma lembrança deixada pela irmã?

Ela sempre pensou sobre isso.

*

Ih, Noriko desandou em prantos.

— Fico pensando se você não teria sido mais feliz se tivesse ido morar com seu tio de Kogura...

— Por quê? — perguntou Satoru, com os olhos arregalados de surpresa. — O tio é uma boa pessoa, claro, mas foi muito melhor ter ficado com você!

Foi a vez de Noriko perguntar por quê.

— Ué, você é irmã da minha mãe. Era quem poderia me contar mais histórias sobre meus pais.

— Mas eu disse aquilo logo depois que eles morreram...

Satoru a interrompeu:

— É, eu levei um susto quando você me contou. Mas aquilo me fez ver bem cedo como eu havia tido sorte.

Satoru sorriu, vendo a expressão intrigada de Noriko.

— Até aquele dia, nunca tinha me ocorrido que eu pudesse não ter relação de sangue com meus pais. Nem de longe, nem por um segundo. Isso porque os dois realmente fizeram de mim seu filho de verdade e me tratavam com muito carinho. É incrível. Não é todo dia que a gente vê algo assim. Por isso fui um sujeito muito feliz.

Satoru já tinha me dito isso muitas vezes, sorrindo alegremente.

Ele me contava quanto os pais o mimavam e cuidavam dele. Como era feliz com sua vida.

Eu entendo. Tenho certeza de que senti a mesma alegria quando Satoru me adotou.

Todo mundo acha perfeitamente natural largar os gatos de rua por aí, mas Satoru me socorreu quando eu quebrei a perna. Só isso já teria sido um milagre, mas ainda por cima fui morar com ele! Fui o gato mais feliz do mundo.

Por isso, mesmo que Satoru não possa mais cuidar de mim, não estará me tirando nada.

Eu só ganhei. Ganhei o nome Nana e os cinco anos que vivi com ele.

O que eu jamais teria se não o conhecesse. Mesmo se Satoru acabar morrendo antes de mim, ainda sou mais feliz por tê-lo conhecido.

Afinal, vou me lembrar para sempre desses cinco anos que vivemos juntos. Vou ter para sempre o nome Nana, meio esquisito para um gato macho.

A cidade onde Satoru cresceu,

E os campos onde tremulam as plantações de arroz,

E o mar, assustador com seu rugido estrondoso,

E o monte Fuji, que parece vir para cima da gente,

E a televisão quadrada, tão boa de deitar em cima,

E Momo, a gata madura e elegante,

E Toramaru, o cachorro de pelo tigrado, insolente e obstinado,

E a gigantesca balsa branca que engole muitos e muitos carros,

E os cachorros da sala de animais que balançaram o rabo para animar Satoru,

E o gato persa desbocado que me desejou *good luck*,

E as terras vastas e planas de Hokkaido, estendendo-se até onde a vista alcança,

E as flores lilases e amarelas que crescem vigorosas ao longo da estrada,

E os campos de capim que parecem um mar,

E os cavalos pastando,

E os frutos muito vermelhos das sorveiras,

E os vários tons de vermelho que Satoru me ensinou a enxergar,

E as delgadas bétulas brancas,

E o cemitério amplo e fresco,

E os buquês da cor do arco-íris que deixamos lá,

E os corações brancos no traseiro dos veados,

E também o enorme, bem enorme arco-íris duplo desenhado no céu, com os dois pés fincados no chão,

Vou me lembrar de tudo isso para o resto da vida.

Kosuke, Yoshimine, Sugi e Chikako e acima de tudo Noriko, que cuidou de Satoru quando ele era jovem e a quem o destino me uniu.

Também vou me lembrar para sempre das pessoas que fazem parte da vida de Satoru.

Que felicidade poderia ser maior do que esta?

— Além do mais, você era muito sozinho quando criança, por causa do meu trabalho. Sempre que você fazia amigos, a gente se mudava...

— Mas assim eu fiz amigos em todos os lugares para onde fui! Foi triste quando tive que me separar do Kosuke, mas graças a isso pude conhecer Yoshimine, e depois Sugi e Chikako. Todos eles até se ofereceram para ficar com Nana! Os encontros acabaram não dando certo, mas ter tantas pessoas dispostas a ficar com meu gato de estimação, quando a situação apertou... É uma vida de muita abundância.

Satoru pegou a mão de Noriko e a apertou entre as suas.

— E, mesmo quando deu errado com todas essas pessoas que se ofereceram, você nos acolheu, tia.

Noriko continuava de cabeça baixa, os ombros estremecendo com os soluços.

— E, acima de tudo, foi você quem me uniu aos meus pais. Como eu poderia não ser feliz, passando a vida junto com você e ouvindo histórias sobre eles?

Viu? Então não chore, Noriko!

Seremos mais felizes sorrindo até o final, e não soluçando desse jeito.

*

Satoru começou a passar vários dias no hospital.

— Volto daqui a alguns dias — dizia ele, afagando minha cabeça, e saía levando uma mala.

O tempo que ele passava lá foi ficando cada vez mais longo. Quando ele saía dizendo que seriam três ou quatro dias, era uma semana. Se dizia uma semana, eram dez dias.

As roupas que ele trouxera de Tóquio já não serviam mais. As blusas e os casacos eram largos demais nos ombros, e na cintura das calças sobrava espaço.

Ele começou a usar um gorro de lã sempre, até dentro de casa. Não sei por que, mas não foi só seu corpo que emagreceu. Seu cabelo também foi ficando cada vez mais ralo, até que um dia ele apareceu totalmente careca. Achei que tivessem raspado no hospital, mas disseram que foi ele mesmo quem decidiu fazer isso e que foi a um barbeiro.

Certo dia, quando arrumava as coisas para levar para o hospital, Satoru colocou na mala a foto que ficava na cabeceira de sua cama. Era uma foto de nós dois, tirada em uma viagem. Era sua foto de cabeceira desde quando a gente morava em Tóquio.

De repente eu entendi.

Arranhei a caixa de viagem, que estava no canto do quarto, e miei. O.k., vamos precisar disso aqui, não é?

Satoru me olhou enquanto fechava o zíper da mala e abriu um sorriso aflito.

— Eu sei, Nana... Você quer vir comigo, é isso?

Ele abriu a portinha da caixa. Entrei alegremente, ele fechou a porta e... virou a caixa, colocando a abertura virada para a parede.

Ei! Assim eu não consigo sair! Deixa de brincadeira boba!

— Você é muito especial, então vai ser um bom menino como sempre, não vai?

Ei! Arranhei a caixa pelo lado de dentro. Do que você está falando, Satoru?

Satoru se ergueu carregando a mala e abriu a porta, deixando minha caixa para trás.

Espere, seu bobo! Arranhei mais ainda a caixa, me joguei na lateral, rosnei com o corpo todo arrepiado.

— Fica bonzinho, vai!

Cale a boca! Bonzinho, uma ova! Eu não vou deixar você ir sem mim, de jeito nenhum. De jeito nenhum!

— Já disse para ficar bonzinho, seu bobo!

Quem é que é bobo aqui, seu bobo? Volta aqui! Volta aqui!

Me leva com você!

— Não é que eu queira deixar você aqui! Eu te amo, seu burrinho!

Eu também te amo, seu cretino!

Satoru saiu do quarto como se fugisse dos meus chamados e bateu a porta.

Volta aqui! Volta volta volta volta volta!

Eu sou seu gato até o fim!

Gritei o mais alto que pude, mas, depois de bater, a porta nunca mais se abriu. Eu miei, miei, miei, miei, miei, até ficar totalmente sem voz.

Quanto tempo será que se passou? Quando o quarto já estava escuro, a porta se abriu delicadamente. Nem parecia a mesma que tinha batido com tanta violência.

Quem entrou foi Noriko. Ela afastou minha caixa da parede e abriu a porta.

Você acha que eu estou com pressa de sair daqui se Satoru não voltou? Continuei amuado no canto da caixa. Então uma mão veio, cautelosa, na minha direção.

Agradou minha cabeça, coçou atrás das orelhas, passou os dedos pelo meu pescoço. Noriko já não tem mais aquele medo ofensivo de chegar perto da minha boca.

É um progresso notável, para quem não conseguia lidar com gatos.

— Satoru pediu para eu cuidar bem de você. Porque você é o gato querido dele.

Eu sei disso. Sei que sou o gato querido do Satoru.

— Coloquei comida pra você. Tem até frango desfiado, viu? Satoru falou pra eu te mimar bastante hoje.

Se ele acha que desse jeito vai se redimir pelo crime de ter me largado aqui, está muito enganado.

— O quarto do Satoru é pequenininho, mas é individual. É um quarto bem tranquilo, não tem ar de hospital. Os enfermeiros também parecem boas pessoas. Ele disse que queria passar os últimos momentos tranquilo, então o hospital onde ele estava se tratando indicou esse lugar.

A voz de Noriko estremeceu enquanto ela me afagava.

— Por isso, Satoru mandou dizer que não precisa se preocupar.

Esse tal lugar pode ser o mais tranquilo do mundo, mas com certeza é terrível, se eu não estou lá.

— A primeira coisa que ele fez quando entrou no quarto foi tirar da mala a sua foto. Colocou ao lado da cama, como aqui. Disse que está tudo bem.

Não fale bobagem. Não tem como comparar uma foto minha e eu de verdade.

É óbvio que é melhor ter eu de verdade como companhia. Eu, que sou quentinho e macio como veludo.

Mas...

Lambi a mão de Noriko. Da primeira vez que fiz isso, lembro que ela teve a pachorra de dizer que minha língua era áspera e dava aflição.

Como você está chorando, quando me der vontade eu como a comida que você serviu, tá? Afinal, você até desfiou um franguinho para pôr em cima, não foi?

* * *

Eu não saía mais do quarto de Satoru, a não ser para comer e usar o banheiro.

Sempre que eu estava sozinho em casa e ouvia a porta se abrindo, eu disparava, pensando que talvez... Mas era sempre Noriko.

Então eu voltava para o quarto com o rabo abaixado. Não tenho nenhuma vergonha de admitir que eu abaixava o rabo por não encontrar Satoru. Ficava triste por não vê-lo mais, é claro.

Às vezes Noriko me chamava para passear, provavelmente a pedido do sobrinho, mas, sem Satoru, eu não sentia vontade nenhuma de sair por aquela cidade, totalmente soterrada sob a neve branca e gelada.

Falta um pouco de noção a Satoru. Ele não tem a menor ideia do que significa para mim.

Eu passava o dia inteiro olhando pela janela. Na paisagem que via lá fora, tudo estava conectado; tudo, a perder de vista. Então, com certeza a paisagem chegava até o quarto onde estava Satoru.

E aí, Satoru? Como vão as coisas?

Hoje teve uma nevasca terrível. Tudo na janela ficou branco, não dava pra ver nem as luzes dos postes. Onde você está também aconteceu isso?

Hoje o dia está bonito. O céu, claro e azul. Mas esse céu cristalino parece muito gelado.

Hoje os pardais arrepiados, pousados nos fios elétricos, estão com circunferências de quebrar recorde. Não está nevando, só um pouco nublado, mas deve estar incrivelmente frio lá fora.

Hoje um carro muito vermelho passou na rua aqui em frente. Era a cor dos frutos da sorveira, que você me ensinou a enxergar. Só que eu acho que o vermelho da sorveira é mais intenso, sabe? Os humanos são bons em imitar cores, mas é difícil reproduzir a intensidade das coisas originais.

O que você vê do seu quarto? O clima na sua janela é o mesmo que o daqui?

Um dia, Noriko entrou no quarto.

— Nana, vamos ver Satoru.

O quê?

— Ele está arrasado sem você, então eu tomei coragem e pedi a eles para levá-lo. Disseram que dentro do prédio não dá, mas que vocês podem se encontrar quando ele for passear no jardim.

Mandou bem, Noriko!

Ela pegou a caixa de viagem, e eu entrei alegremente. Partimos na van prata. Acho que Noriko estava usando a van direto, desde que Satoru fora internado, mas eu não entrava nela desde nossa última viagem.

Levamos apenas vinte minutos.

Puxa, Satoru estava tão perto assim?

Se meu companheiro de viagem fosse ele, eu teria aberto a porta e saído da caixa num instante, mas, como era Noriko, fiquei comportado lá dentro. Como não estava acostumada a pensar nas coisas do ponto de vista de um gato, ela colocou a caixa no piso da parte traseira da van, então eu só conseguia ver o interior do veículo.

— Fique aí quietinho que eu vou chamar Satoru.

Noriko desceu da van. Eu obedeci, fiquei esperando quietinho.

"Você vai ficar bonzinho, não vai? Você consegue ficar bonzinho." Quando nos despedimos, Satoru insistiu muitas vezes nisso.

É claro que sim.

Claro que posso ficar bonzinho. Afinal, eu sou um gato extraordinariamente perspicaz, que sabe o que deve fazer em todas as circunstâncias.

Depois de algum tempo, ela voltou e tirou minha caixa da van.

Era um hospital discreto, no meio de uma área residencial sossegada. Atrás do estacionamento havia uma planície coberta de neve macia. As árvores e os bancos do jardim também estavam revestidos de uma camada espessa de neve. Embaixo, deviam dormir um gramado e canteiros de flores.

Chegamos a um terraço com telhado, que se projetava do prédio, com mesas e cadeiras dispostas. Devia ser o local usado para descanso quando o clima estava ruim. E...

Sob o telhado do terraço, sentado em uma cadeira de rodas, estava Satoru.

Ansioso, eu queria me jogar para fora da caixa, mas continuei me contendo, sem abrir a portinha por dentro, pois era Noriko quem estava segurando.

— Nana!

Mesmo envolto em um casaco gordo e macio, dava para ver que Satoru tinha emagrecido ainda mais desde que nos separamos.

Seu rosto, de uma palidez doentia, enrubesceu. Creio que não seria falta de modéstia dizer que fui eu quem fez brotar esse rubor saudável... O que os senhores acham?

— Que bom que você veio!

Satoru se ergueu da cadeira de rodas. Ele também estava achando difícil esperar, agora que eu já estava ao alcance dos olhos. Eu queria empurrar a tranca da caixa e correr até ele... mas Noriko não sabe que eu consigo abrir a tranca. Paciência, paciência.

Ela finalmente chegou até Satoru. Eu me lancei para fora quase sem esperar que a portinha se abrisse e saltei para o colo dele.

Ele me abraçou sem dizer nada. Eu ronronei até não poder mais, esfregando a cabeça em seu corpo.

Você não acha muito esquisito a gente ter que ficar longe desse jeito, sendo que é tãããããão bom ficar junto?

Eu queria ficar assim por muito, muito tempo, mas logo, logo aquele frio penetrante ia congelar nossos ossos. Satoru estava fraco, não podia se cansar demais.

— Satoru — chamou Noriko, timidamente.

Ele sabia, mas não queria me largar.

— Nossa foto está do lado da minha cama, viu?

Eu sei. Noriko me contou.

— Por isso eu não me sinto sozinho aqui.

Isso aí já é mentira. Uma mentira tão descarada que, se o deus Enma* fosse julgar você, ele nem arrancaria sua língua, só riria da sua cara.

— Se cuida, tá, Nana?

Finalmente, depois de me apertar tanto que quase pus as tripas para fora, Satoru me soltou. Instado por Noriko, eu entrei, obediente, na caixa.

— Só um minuto, vou deixar Nana no carro e já volto.

---

* Deus do mundo dos mortos no budismo. No Japão, diz-se que aqueles que mentem terão a língua arrancada por ele após a morte. (N. T.)

Noriko me levou até a van e voltou a entrar no hospital.

Bom, acho que já está na hora. Abri a portinha da caixa e saí para o interior do carro. Então me sentei no banco do motorista e esperei.

Quase uma hora depois, ela voltou. Veio caminhando com os ombros encolhidos de frio, em meio à neve fina que esvoaçava.

Ela abriu a porta — *clack*. Agora!

Com mira precisa, eu corri pelo piso da van e me esgueirei para fora.

— Nana!

Noriko se lançou imediatamente atrás de mim, mas um humano não tem chance tentando pegar um animal de quatro patas. Deixei ela comendo poeira e atravessei o estacionamento.

— Não faz isso! Vem cá! Volta aqui!

Sua voz já era um grito desesperado. Desculpa, mas eu não posso te dar ouvidos.

É que eu sou um gato extraordinariamente perspicaz, que sabe o que deve fazer em todas as circunstâncias.

Mas... parei por um momento e me virei para ela.

Tchau! Até mais!

Empinando o rabo alegremente, deixei uma palavra de despedida antes de adentrar a paisagem toda branca... e não olhei mais para trás.

*

Olha, realmente... Mesmo para o mais orgulhoso dos gatos de rua, o inverno de Hokkaido não é fácil.

Essa neve das nevascas que cobre de branco toda a nossa visão definitivamente não deveria ser chamada pelo mesmo nome da neve que cai em Tóquio.

Nessa hora, vi que valeu a pena ter feito os passeios com Satoru.

Os gatos que eu encontrava nesses passeios estavam sempre entranhados em alguma fresta, onde conseguiam enfrentar o frio. E é claro que perto deste hospital também havia gatos, sobrevivendo bravamente ao inverno.

Sendo assim, por que eu não conseguiria sobreviver também? Eu, que sempre estive pronto para voltar, a qualquer momento, à vida nas ruas?

Encontrei alguns lugares para escapar do frio ao redor do hospital. O prédio era grande e, naturalmente, tinha uma abundância de cantinhos — no estacionamento, nos depósitos — onde um gato podia se esgueirar. Além disso, nas casas ao redor havia vãos muito confortáveis sob o piso e embaixo das caldeiras.

Algumas vezes os lugares que eu visava já tinham ocupantes, mas o inverno rigoroso favorece o espírito de comunhão, então nessas situações era mais comum dividir o espaço do que competir.

Dizem que os moradores de Hokkaido são particularmente generosos com quem encontram na rua. Ouvi Noriko contando a Satoru que lá era comum as pessoas resgatarem bêbados ou viajantes perdidos pela rua e hospedá-los na própria casa.

Há um motivo muito sério para agirem assim: se não forem generosos, a pessoa pode acabar morrendo. Pelo que observei, esses mesmos princípios se aplicavam aos gatos.

Os gatos locais me mostraram os melhores lugares para descolar comida. Casas e restaurantes que jogavam restos abundantes no lixo, parques onde senhoras serviam ração. Além disso, perto do hospital havia uma loja de conveniência, diante da qual eu punha em prática a arte da sedução, como nos velhos tempos, e assim ganhava todo tipo de presente dos humanos.

Também havia a caça, é claro. Arrepiados de frio, os passarinhos e ratos perdiam a agilidade e eram presas fáceis.

Meus colegas gatos me viam como uma criatura estranhíssima. Depois de ter a sorte de ir morar em uma casa, eu me lançara novamente no mundo dos gatos vadios. Alguns chegaram a dizer na minha cara que era um desperdício e a perguntar por que um gato faria uma coisa dessas. Na certa deviam achar que eu era louco.

É que para mim existe algo mais importante do que uma cama quentinha.

A neve parou. Ainda havia algum tempo até a noite cair. Então, talvez... Eu me aproximei por um canto escuro no depósito do hospital. Bem como pensei!

Satoru apareceu à porta, na cadeira de rodas.

Corri até ele, de rabo empinado. Ele sorriu com os olhos marejados.

— Deixa disso e volta logo pra casa!

Opa, opa. Se você tentar me agarrar e me prender à força, já sabe, né? Risco sua cara toda, na vertical e na horizontal, pra você jogar damas.

Vendo minha postura alerta, Satoru sorriu e disse, conformado:

— Tudo bem, já desisti.

Melhor assim.

Soube que Noriko e Satoru ficaram em pânico depois que eu fugi. O choque de Satoru ao ouvir a notícia foi tão grande que ele ficou com febre.

Noriko veio ao hospital dias seguidos para me procurar, mas eu não sou trouxa para ser capturado por alguém como ela.

Então, alguns dias depois, quando Satoru saiu para o terraço, todo abatido, eu apareci na frente dele. O susto que ele levou! Ficou de queixo caído, a boca aberta que nem o Pato Donald!

Está vendo? Eu não disse que ia ficar ao seu lado até o fim?

Satoru tentou me segurar, mas não foi tão fácil. Eu me sacudi todo que nem um peixe recém-pescado, até escapar.

Aí me afastei um pouco e o encarei. Satoru parecia uma criança prestes a chorar. Ele deve ter compreendido minha decisão.

— Nana, seu tonto — murmurou, com uma careta.

É muita gentileza sua.

Sou seu único gato, Satoru. E você é meu único companheiro.

Um gato de respeito como eu não poderia jamais abandonar seu companheiro. Não tenho medo de voltar a viver na rua, se é isso o que preciso fazer para continuar sendo seu gato até o fim.

Ao ouvir de Satoru o que tinha acontecido, Noriko correu para o hospital, com ar muito resoluto, e botou no estacionamento uma enorme jaula para captura de animais. Não sei onde foi que ela arranjou aquele negócio, mas se acha que o excelentíssimo Sr. Nana é bobo de cair em uma armadilha dessas, está muito enganada.

No começo, também tive que tomar cuidado com o pessoal do hospital. Noriko e Satoru devem ter pedido ajuda a eles, pois ficavam me chamando com miados e tentando me agarrar.

Depois, vendo que eu aparecia sempre que Satoru saía para o terraço e ia embora sempre que ele voltava para dentro, devem ter compreendido.

Noriko levou embora aquela jaula descomunal. A equipe do hospital parou de tentar me atrair com chamados e passou a me ignorar, como todos ignoram os gatos de rua.

E assim eu me tornei o gato visitante do Satoru.

Nos dias em que não nevava, ele aparecia na varanda e ficava ali um pouquinho. Eu passava esses minutos junto com ele. Comia a comida crocante ou os biscoitos de frango que ele trazia e ficava enrodilhado no seu colo. Ele afagava meu queixo, afagava atrás das minhas orelhas, eu ronronava.

Sabe...

É que nem quando a gente se conheceu, né?

Desde aquele tempo, antes de eu ser seu gato, eu já achava você um cara bem legal, sabia? Ficava torcendo para te encontrar.

Agora eu torço ainda mais. Ganhei o nome Nana, ganhei os cinco anos que vivemos juntos, e agora gosto dez, cem, mil vezes mais de você do que antes.

Sou muito feliz assim, podendo visitar você livremente.

— Sr. Satoru.

Uma enfermeira veio chamá-lo. Devia ter mais ou menos a mesma idade que Noriko, mas era bem mais gorducha.

— Desculpe, já vou entrar — respondeu Satoru, e me apertou com força.

Ele sempre me abraçava assim quando nos despedíamos. Eu sentia pelos seus braços o que ele estava pensando: *Talvez esta seja a última vez.*

Adeus, tchau, até amanhã. Tenho certeza de que ainda vamos nos encontrar aqui, sem falta.

Dei uma lambida na mão de Satoru e desci dos seus joelhos.

*

A propósito, o fato de eu me tornar um gato visitante também trouxe benefícios extras para os gatos de quem fiquei próximo.

É que, comovidas com minha atitude tão heroica e admirável, a equipe do hospital e as pessoas que vinham visitar os pacientes começaram a deixar potinhos com ração em vários cantos escondidos.

Todos achavam que eram os únicos fazendo isso, discretamente. Na verdade, era um monte de gente, viu?

Eu nunca conseguiria comer tudo aquilo sozinho, então pude retribuir o favor dos gatos que tinham me ajudado até então.

Durante alguns dias caiu uma nevasca forte.

Quando finalmente parou, eu me escondi em um depósito de onde conseguia ver a porta do hospital.

Fazia tempo que eu não via um dia tão bonito, mas mesmo assim Satoru não apareceu.

Quando o sol já estava se pondo, vi Noriko chegar na van prata. Estava pálida.

Eu me aproximei, mas ela continuou, aflita, rumo à porta do hospital, dizendo apenas “Desculpa, eu já volto”.

*

O estado de Satoru piorou subitamente durante a nevasca.

Será que está chegando a hora? Sentindo que tinha engolido uma bola de chumbo, Noriko dirigiu rumo ao hospital em meio à neve que atingia as laterais do carro.

Passou algumas noites lá. Quando a nevasca parou, o pior já tinha passado. Mas Satoru não recobrou a consciência.

De manhã cedo, ela voltou para casa, resolveu as pendências que tinham se acumulado e dormiu um pouco. Na cama dobrável que o hospital oferecia aos acompanhantes, era impossível descansar e ter um sono profundo.

No final da tarde, chegou uma mensagem.

“Urgente. Sobrinho em estado grave. Favor vir ao hospital.”

Quando ela desceu da van, no estacionamento, Nana apareceu na sua frente.

— Desculpa, eu já volto.

Ele não devia ter comido quase nada durante a nevasca... Mas ela não tinha tempo para se preocupar com Nana naquele momento.

Dentro do mesmo quarto de sempre, tudo o que Noriko podia fazer era acompanhar o que acontecia.

No monitor de eletrocardiograma conectado a Satoru, as ondas ficavam mais e mais fracas.

Ela só conseguia ver o rosto do sobrinho de relance, nas frestas por entre a equipe médica, que trabalhava sem parar.

Uma enfermeira esbarrou no aparador que fora afastado para um canto e derrubou as fotos que estavam ali dispostas. Noriko se apressou em recolhê-las antes que fossem pisoteadas.

Uma era uma fotografia de família, onde a própria Noriko aparecia, e a outra era uma foto com Nana. A foto da família sempre ficara na sala, e a de Nana, no quarto.

Naquele momento, Noriko ouviu um miado, quase um uivo, vindo da frente do prédio. De novo, e de novo.

Era Nana.

— Será que…

Antes que pudesse pensar com calma, Noriko já estava falando. Falando algo que jamais diria em sã consciência:

— Será que eu posso trazer um gato? O gato do Satoru?

Nunca na vida ela tinha dito algo tão disparatado.

— Por favor. É o gato dele.

— Não me pergunte! — repreendeu a enfermeira-chefe. — Se me perguntar, vou ter que dizer que não!

Noriko voou para fora do quarto. Atravessou os corredores ignorando os avisos nas paredes que diziam para não correr e desceu as escadas de dois em dois degraus, como uma menina.

Lançou-se porta afora.

— Nana! Vem, Nana!

Nana surgiu como um raio, saindo da escuridão da noite, como uma bola de canhão branca, e pulou para o colo de Noriko. Ela correu de volta para dentro do hospital.

— Satoru!

Quando chegaram ao quarto, a equipe já estava encerrando.

Noriko achou uma brecha entre os enfermeiros para chegar até a cabeceira.

— Olha, Satoru! Nana!

As pálpebras fechadas se agitaram. Como se lutassem contra a gravidade, abriram-se devagar, só um pouquinho.

Satoru olhou para Nana, para Noriko, e novamente para Nana.

Noriko ficou sem ar. Agarrou a mão de Satoru e esfregou a cabeça de Nana na mão do sobrinho.

Os lábios dele se mexeram ligeiramente. Não fizeram som algum, mas ela escutou com clareza: Obrigado.

As ondas do monitor se tornaram uma linha reta.

Nana continuou roçando a cabeça na mão inerte de Satoru.

A médica anunciou a hora do falecimento e logo em seguida a enfermeira-chefe exclamou:

— Onde já se viu trazer um gato para dentro do quarto? Tire logo esse bicho daqui!

A atmosfera na sala ficou suave e risonha. Todos os rostos a olhavam com candura. Quando se deu conta, Noriko também estava rindo baixinho.

Então, foi como se uma maré aproveitasse essa brecha e a invadisse.

Fazia muito, muito tempo que Noriko não chorava alto. Desde criança.

Quando a irmã e o marido morreram, ela não chorou desse jeito, pois estava muito preocupada com o destino de Satoru.

A equipe terminou de desconectar as máquinas ligadas a Satoru e saiu do quarto. A última a sair foi a enfermeira-chefe, que disse:

— É sério, leve logo esse gato para fora, tá?

Depois de um tempo, a garganta de Noriko começou a doer, seu choro esmoreceu e deu lugar a soluços.

Quando se deu conta, uma língua áspera lambia sua mão. Muito delicadamente.

— Vamos lá, Nana. Levar Satoru para casa.

Nana deu mais uma lambida, como se respondesse.

— Será que eu posso acreditar que ele foi feliz?

Nana roçou a cabeça na mão dela e a lambeu mais uma vez, gentilmente.

ÚLTIMO RELATO

As flores lilases e amarelas se espalham a perder de vista.

São as cores de Hokkaido naquela estação. As cores quentes e vigorosas do começo de outono.

Eu persigo uma abelha no meio das flores.

Uma voz aflita me interrompe.

Não, Nana!

Então alguém me pega e segura, bem apertado, minhas patas da frente.

E se ela picar você?

É Satoru quem me repreende, sorrindo.

Oi! Faz tempo que você não aparece! Tá com uma cara boa.

É, eu estou bem. E você, Nana?

Roço as bochechas de leve nos braços dele.

Estou bem também.

Desde o dia em que partiu, sempre que Satoru vem me visitar é aqui nesta planície. No meio deste campo vasto, coberto de flores.

Mas, sabe, nos últimos anos tenho sentido mais o frio do inverno. É a idade, né…

Não venha me falar de idade! Fica aí todo prosa, só porque foi embora deste mundo mais jovem do que eu.

Apesar dos raios suaves do sol, uma neve fina esvoaça ao nosso redor, ao sabor do vento. Uma neve delicada como uma miragem. Acho que falta pouco para o inverno.

Meus relatos também já estão chegando ao fim.

O funeral de Satoru foi um evento discreto, ao qual compareceram apenas Noriko e seus parentes maternos. Ele tinha chegado a

Sapporo havia pouco tempo, então os amigos e conhecidos estavam todos em outras regiões. Já eu fiquei em casa. Não tenho muito interesse nessas cerimônias que os humanos organizam.

Satoru se foi naquele dia. Eu estava ao lado dele para me despedir. Agora, ele vive dentro do meu coração. Não é preciso participar de uma cerimônia humana para confirmar esses fatos tão óbvios.

Satoru deixou uma lista de pessoas queridas, com cuja ajuda tinha contado ao longo da vida, e pediu que Noriko enviasse a elas seus cumprimentos. Ela atendeu fielmente a seu pedido.

Então, recebeu uma quantidade inesperada de cartas e telefonemas de condolências. Dos amigos de Satoru, é claro, mas também de colegas e chefes com quem ele trabalhara e de ex-professores. De pessoas que ela não tinha contatado diretamente, mas que também ficaram sabendo.

A atividade de responder a tudo isso deixou Noriko muito ocupada. Ela passou algum tempo escrevendo cartões de agradecimento quase todos os dias. Acho que foi muito bom ela ter tanto o que fazer logo após a morte do sobrinho.

Porque eu estava preocupado com ela, sabe? Achei que ela ficaria muito deprimida sem a presença dele.

"Talvez ela envelheça uns dez anos", disse Satoru certo dia, quando estava internado. "Por isso, fique junto dela, tudo bem?"

No fim das contas, acho que Noriko envelheceu só uns dois ou três anos. De qualquer jeito, ela já não era muito jovem (deve ter a mesma idade da Momo, lá da casa dos Sugi), então não fez grande diferença. Ops, se ouvissem isso, acho que tanto Noriko quanto Momo ficariam bravas comigo…

— Muita gente gostava do Satoru, não é, Nana?

Noriko parecia muito feliz com isso. É verdade, tinha muita gente mesmo que gostava do seu sobrinho.

Dentre as pessoas que ofereceram suas condolências por Satoru, algumas disseram que gostariam de vir acender incensos para ele. Todas essas eu conhecia. Para elas, Satoru tinha deixado cartas manuscritas.

Noriko ficou muito sem jeito, dizendo que era longe demais para elas, mas, como todos insistiam, ela marcou uma data para recebê-las.

Já era primavera e as cerejeiras já tinham começado a florir ao longo da ilha de Honshu, rumo ao norte. Só que ainda ia demorar bastante para chegarem até Hokkaido. Na verdade, na cidade de Sapporo restava uma neve teimosa, nos cantos que o sol não alcançava.

O tempo andava feio, mas justo naquele dia o céu ficou limpo e azul. Como se estivesse fazendo festa para Satoru.

Então, rostos saudosos chegaram ao apartamento de Noriko: Kosuke, Yoshimine, Sugi e Chikako.

Todos de preto, falando pouco, a expressão grave.

— Por favor, entrem!

Noriko foi a primeira a juntar as mãos diante do altar budista na sala.

— Olha só, Satoru, todo mundo veio ver você.

Dizendo isso, ela deixou o altar livre para as visitas. Todos acenderam incensos em ordem. Primeiro Kosuke, depois Yoshimine, depois Sugi e Chikako.

Kosuke passou muito tempo de mãos postas, com o rosto contraído.

Yoshimine fez tudo rápido, com gestos bruscos, e por último baixou rapidamente a cabeça para a tabuleta com a inscrição do nome de Satoru.

Sugi mordia o lábio, com ar desorientado. Chikako deixou escapar algumas lágrimas, que secou com a ponta dos dedos. Todos repararam, mas fingiram não ver.

— Encomendei sushi — anunciou Noriko, alegre. — Vou preparar um caldo também, esperem só um pouquinho.

Os visitantes, cerimoniosos, endireitaram a postura.

— Desculpe por dar trabalho... — disse Kosuke.

Todos inclinaram a cabeça, murmurando coisas semelhantes.

— Não se desculpem, por favor. Estou muito feliz de receber os amigos de Satoru.

— A senhora quer ajuda? — perguntou Chikako, já se erguendo.

Noriko a fez se sentar com um gesto.

— Não se preocupe. Não gosto muito quando outras pessoas entram na minha cozinha.

Como sempre, Noriko disse isso casualmente, mas Chikako ficou um pouco constrangida, é claro. Se Satoru estivesse lá, explicaria, sorrindo, que a tia não faz por mal. Na cozinha, já concentrada na tábua de cortar, Noriko não percebeu nada. Ainda bem.

Se ela visse a cara da Chikako, certamente tentaria consertar a situação com algum comentário ainda mais inapropriado.

— Em vez disso, aproveite para brincar um pouco com Nana, por favor!

Opa, mandar a bola pra mim foi boa ideia, Noriko! Eu me aproximei de Chikako e rocei as costas nela.

— Oi, Nana, tudo bom? Pena que não deu pra você ficar lá em casa…

Kosuke soltou uma exclamação de surpresa.

— Por acaso vocês também conheceram Nana para ver se o adotavam?

Chikako concordou. Sugi sorriu, envergonhado.

— Não tinha como, porque ele e meu cachorro não se entenderam…

— Lá em casa, foi por causa de um filhote de gato — disse Yoshimine.

Então todos relaxaram e se puseram a falar animadamente sobre mim. Kosuke disse que tinha me achado inesperadamente ranzinza. Olha quem fala! Você é que estava todo borocoxô porque tinha brigado com a esposa!

Agora, parece que Kosuke arranjou outro gato para criar junto com a esposa. Uma linda gata cinza e tigrada. Ele se pôs a exibir, orgulhoso, várias fotos que tinha no celular. Sei que vocês são amigos de infância, mas você não precisava ser parecido com Satoru até nessa mania, hein? Foi só eu pensar isso que Yoshimine também sacou o celular, exclamando:

— Eu também tenho um!

Até você, Yoshimine?

Chatran, com seu nome clichê, tinha se tornado um jovem gato valente. Soube que até conseguira pegar alguns ratos. Talvez graças aos meus ensinamentos.

— Trouxe essas fotos para mostrar pro Miyawaki, porque ele conheceu Chatran.

Yoshimine foi até o altar para mostrar as fotos.

— Poxa, se eu soubesse que todo mundo ia mostrar seus bichos, tinha trazido um álbum! — exclamou Chikako.

O casal Sugi não ficava atrás. Os dois pegaram os celulares para exibir as fotos de Momo e de Toramaru.

— Temos uma pousada que aceita animais de estimação. Venham nos visitar a qualquer hora! — disse Sugi, entregando cartões de visita.

Todos aproveitaram para trocar seus contatos.

Olha só, Satoru.

Agora, depois que você se foi, todas as pessoas que sentem saudades suas estão conectadas.

— Se quiser, venha visitar também, tia!

Sugi entregou um cartão a Noriko quando ela chegou trazendo uma bandeja com o sushi. Isso, dê um cartão a ela! Quero voltar lá e curtir aquela televisão quadrada que vocês têm!

— Obrigada. Eu podia ir para subir no monte Fuji, faz tanto tempo que não faço isso!

Pro Fuji pode ir sozinha, Noriko. Fico esperando você em cima da televisão.

Então todos se juntaram ao redor da mesa e contaram muitas histórias sobre Satoru, como se estivessem ansiosos para falar sobre ele.

— O quê? Satoru não fez natação durante os anos seguintes? — perguntou Kosuke, os olhos arregalados de surpresa.

Yoshimine balançou a cabeça.

— Não, fazia parte do clube de horticultura, junto comigo. Ele nadava tão bem assim?

— Sempre foi do time oficial do clube, até ganhou prêmios em algumas competições grandes. Todo mundo achava que ele ia longe! No ensino médio ele também não fazia natação?

Sugi e Chikako também fizeram que não.

— No colégio ele não fazia parte de nenhum clube, apesar de ter muitos amigos...

— Puxa, ele nadava tão bem... Por que será que parou?

Enquanto me servia um pedaço de atum, sem wasabi, Noriko disse casualmente:

— Deve ter sido porque não tinha você, Kosuke.

Ai, ai, Noriko. Como é que você, tão desajeitada com as palavras, de vez em quando consegue dizer essas coisas que acertam as pessoas que nem uma flecha? Kosuke fez a mesma careta de antes, quando estava na frente do altar.

— Enquanto escrevia as cartas, Satoru me contou muitas coisas sobre vocês — continuou Noriko. — Falou da vez que fugiu de casa com você, Kosuke, e comentou que estava um pouco preocupado porque você estava brigado com sua esposa.

Opa... Isso não precisava dizer, Noriko! Kosuke se apressou em garantir a todos que agora tudo estava na mais perfeita paz em seu matrimônio.

— Disse que era muito divertido trabalhar com você nas plantações da sua avó, Yoshimine. E que você sempre fez as coisas no seu ritmo, às vezes resolvia sair no meio da aula para ir ver a estufa ou coisa assim e que ele penava para lhe dar cobertura.

Yoshimine voltou o olhar saudoso para longe.

— Também contou sobre vocês, Sugi! Que vocês são um casal que se dá muito bem e que os dois são fãs de animais. Disse que ficou felicíssimo ao reencontrá-los na faculdade.

Sugi fez uma cara como se sentisse dor em algum lugar. Chikako secou os olhos novamente.

— Por quê? — murmurou Sugi. — Por que ele não falou nada sobre a doença?

Ai, Sugi! Você e essa mania de falar, assim acanhado, o que ficava melhor não dito...

Como você não compreende algo tão simples?

— Acho que eu entendo...

Boa, Yoshimine. Só podia ser você, um homem que se fosse um gato seria muito popular.

— É que ele queria se despedir sorrindo.

Exatamente.

Satoru gostava muito de vocês, é só isso.

Gostava muito, muito, muito mesmo, então queria guardar o sorriso de cada um.

É muito simples!

— Na carta — Kosuke tinha a voz embargada, mas sorria —, ele só falou de coisas boas. Escreveu um monte de piadas bobas. Eu até dei risada enquanto lia. "Isso aqui nem parece uma carta de despedida!", pensei.

Os outros devem ter pensado o mesmo, pois riram baixinho. Satoru, o que foi que você escreveu, hein? Também não precisava ficar fazendo graça nas suas mensagens derradeiras...

— Ele encerrou com "obrigado". É a cara do Miyawaki... — murmurou Chikako, pensativa.

Eles continuaram conversando sobre Satoru e só partiram quando já estava em cima da hora para pegar seus voos. Noriko os levou até o aeroporto na van prata. Depois que Satoru partiu, nossa van passou a ser a van da Noriko.

Ela já não é mais o carro mágico que mostrava para nós dois tantas paisagens incríveis, mas segue firme e forte.

Bom, eu tenho um serviço a fazer antes que Noriko volte do aeroporto.

Ao entrar na sala, já depois de anoitecer, Noriko soltou um berro.

— De novo, Nana?

Eu tinha pegado uma caixa pequena que estava dando sopa por ali e espalhado pela sala todos os lenços, até o último.

— Por que você puxa todos eles se não vai usar?

Rá! Você está tão ocupada brigando comigo e arrumando a sala que nem achou a casa melancólica, agora que todo mundo foi embora.

Enquanto recolhia os lenços, resmungando que aquilo era um desperdício, Noriko sorriu de repente e respirou tranquila.

— Sabe, Nana...

Sim?

— Satoru foi feliz, não foi?

Eu já não garanti que sim logo depois que ele partiu?

Que papo é esse, a essa altura? Satoru deve estar rindo de você.

* * *

Já se passaram muitos anos desde aquele dia.

Soube que o estúdio de fotografia de Kosuke agora é especializado em fotos de animais. Ele enviou uma carta dizendo que deve essa ideia a Satoru e que, portanto, eu posso ir tirar fotos de graça quando quiser. Só que nas fotos que enfeitam seus cartões de Ano-Novo, a gata cinza tigrada está sempre de cara amarrada, metida em umas fantasias extravagantes. Então, pessoalmente, *no, thank you.*

Volta e meia Yoshimine manda caixas das hortaliças que produz, acompanhadas de uma mensagem breve: "Sei que tem muitas hortaliças boas em Hokkaido, mas espero que gostem". É sempre comida demais para Noriko dar conta sozinha, então ela fica toda afobada dividindo com outras pessoas.

Noriko e eu fomos uma vez à pousada de Sugi e Chikako. Ou, melhor dizendo, ela me deixou lá com eles enquanto foi subir o monte Fuji. Enquanto isso, eu me esbaldei na televisão quadrada.

Momo havia se tornado uma senhora muito distinta, e o insolente do Toramaru ganhara um pouco mais de discernimento. Ele se desculpou por seu comportamento naquele dia e ofereceu suas condolências por Satoru.

Ah, é! Sugi e Chikako tiveram uma filha, uma menininha muito esperta. Recebeu Noriko dizendo casualmente "bem-vinda, vovó", como se ela fosse uma velhinha, o que a deixou um pouco chocada.

As sorveiras da cidade já estavam exibindo seu vermelho exuberante mais uma vez. Em breve cairia a neve definitiva, a que permanece até a primavera.

Quantas vezes será que eu já vi esse vermelho que Satoru me mostrou?

Certo dia, Noriko chegou em casa trazendo um hóspede inesperado.

— E agora, o que eu faço, Nana?

A caixa em suas mãos gritava como uma sirene. Dentro dela encontrei um filhote de gato malhado, de três cores. Um genuíno gato tricolor, não um "falso" tricolor, como Hachi e eu. Portanto, é claro que era uma fêmea.

— Ela estava abandonada na porta do prédio... Fiquei em dúvida, porque aqui em casa já tem você, mas...

Dei uma fungada na gatinha malhada, que continuava miando como uma sirene. Então a lambi gentilmente.

Bem-vinda. Então será você o próximo gato.

— Acabei de levá-la ao veterinário. Será que você vai ser bonzinho com ela?

Deixa de papo e pega logo um leite! Não está vendo que a bichinha está com fome?

Entrei na caixa e me ajeitei perto da gatinha, para aquecê-la. Ela veio procurar leite na minha barriga. Sinto muito, mas daqui não sai nada, não.

— Puxa vida, ela está com fome... Comprei leite no veterinário, vou esquentar.

E assim, de repente, a vida de Noriko passou a girar em função de um custoso filhotinho de gato.

*

O lilás e o amarelo se espalhando como uma inundação.

A campina que vimos em nossa última viagem, coberta de flores até onde a vista alcançava.

Quando sonho com essas cores, Satoru sempre aparece.

Oi, Nana. Como vão as coisas? Você parece meio cansado.

Pois é. A Momo, lá dos Sugi, já se foi há alguns anos. Talvez minha hora chegue um pouco mais cedo que a dela. Até já tenho uma substituta.

Minha tia vai bem?

Ela resgatou uma gatinha. Até rejuvenesceu.

Noriko chamou a gatinha de Mike, "tricolor". Ela e Satoru podem não ter o mesmo sangue, mas na mania de dar nomes óbvios e literais são iguaizinhos.

Puxa, nunca imaginei que minha tia fosse resgatar um gato... Satoru ficou comovido.

Descobri que ela tinha um lado gateiro bem inesperado! Quando ela compra sushi, sempre me dá o atum.

Nossa, até eu hesito sobre o atum, disse Satoru, rindo. Então essa é a primeira gata da minha tia.

Pois é.

Nós vivemos juntos, mas eu não sou o gato da Noriko.

Não posso ser o gato dela, pois sou o gato do Satoru, sempre serei, eternamente.

Daqui a pouco você vem pra cá?

Vou. Mas ainda preciso fazer uma coisa.

Vendo a expressão intrigada de Satoru, estremeci os bigodes, satisfeito.

Ainda tenho que educar Mike, porque a criação da Noriko deixa muito a desejar.

Se continuar assim, ela vai ficar muito mal-acostumada. Aí, se um dia precisar sobreviver nas ruas, já era. Então preciso treinar com ela pelo menos o básico da caça.

Mas já sei que ela tem potencial, porque quando a erguem pelo cangote ela encolhe as patas, bem apertadinhas. Bem mais potencial do que o Chatran do Yoshimine.

Quando ela for uma gata feita, aí acho que eu posso partir. Vir para este mundo, que por enquanto eu só vejo em sonho.

Escuta, Satoru, o que é que tem no fim desse campo? Mais coisas maravilhosas?

Será que vamos viajar juntos outra vez?

Satoru abriu um sorriso e me pegou no colo, para eu poder enxergar até o horizonte na mesma altura dos seus olhos.

Puxa… Vimos muitas, muitas coisas mesmo.

A cidade onde Satoru cresceu,

Os campos onde tremulam as plantações de arroz,

O mar, assustador com seu rugido estrondoso,

O monte Fuji, que parece vir para cima da gente,

A televisão quadrada, tão boa de deitar em cima,

Momo, a gata madura e elegante,

Toramaru, o cachorro de pelo tigrado, insolente e obstinado,

A gigantesca balsa branca que engole muitos e muitos carros,

Os cachorros da sala de animais que balançam o rabo para animar Satoru,

O gato persa desbocado que me desejou *good luck*,
As terras vastas e planas de Hokkaido, estendendo-se até onde a vista alcança,
As flores lilases e amarelas que crescem vigorosas ao longo da estrada,
Os campos de capim que parecem um mar,
Os cavalos pastando,
Os frutos muito vermelhos das sorveiras,
Os vários tons de vermelho que Satoru me ensinou a enxergar,
As delgadas bétulas brancas,
O cemitério amplo e fresco,
Os buquês da cor do arco-íris que deixamos lá,
Os corações brancos no traseiro dos veados,
O enorme, bem enorme arco-íris duplo desenhado no céu, com os dois pés fincados no chão,
E, acima de tudo, os sorrisos das pessoas queridas.

Meu relato vai acabar em breve.
Isso não é triste, de jeito nenhum.
Vamos partir para a próxima jornada, relembrando todas as memórias que colhemos na nossa viagem.
Pensando em quem partiu antes de nós e em quem virá depois.
E quem sabe encontraremos, para além do horizonte, todas as pessoas queridas.

1ª EDIÇÃO [2017] 17 reimpressões

ESTA OBRA FOI COMPOSTA PELA ABREU'S SYSTEM EM ADOBE GARAMOND
E IMPRESSA EM OFSETE PELA LIS GRÁFICA SOBRE PAPEL PÓLEN DA
SUZANO S.A. PARA A EDITORA SCHWARCZ EM ABRIL DE 2025

A marca FSC® é a garantia de que a madeira utilizada na fabricação do papel deste livro provém de florestas que foram gerenciadas de maneira ambientalmente correta, socialmente justa e economicamente viável, além de outras fontes de origem controlada.